這本書屬於：

. . . .

新雅・知識館

給孩子的恐龍全百科

翻譯：李詠珊 @ MmeWStudio

責任編輯：林沛暘

美術設計：蔡學彰

出版：新雅文化事業有限公司

香港英皇道499號北角工業大廈18樓

電話：（852）2138 7998

傳真：（852）2597 4003

網址：http://www.sunya.com.hk

電郵：marketing@sunya.com.hk

發行：香港聯合書刊物流有限公司

香港荃灣德士古道220-248號荃灣工業中心16樓

電話：（852）2150 2100

傳真：（852）2407 3062

電郵：info@suplogistics.com.hk

版次：二〇一九年七月初版

二〇二三年二月第四次印刷

版權所有・不准翻印

Original Title: *My Encyclopedia of Very Important Dinosaurs*
Copyright © 2018 Dorling Kindersley Limited
A Penguin Random House Company

ISBN: 978-962-08-7268-6

Traditional Chinese Edition © 2019 Sun Ya Publications (HK) Ltd.
18/F, North Point Industrial Building, 499 King's Road, Hong Kong
Published in Hong Kong SAR, China
Printed in China

For the curious
www.dk.com

給孩子的
恐龍
全百科

新雅文化事業有限公司
www.sunya.com.hk

目錄

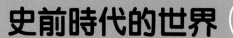

恐龍，你好！

過去的痕跡

史前時代的世界

吼吼……嘩嘩！

如果你能夠乘坐時光機回到恐龍時期，也許會以為自己去了外星人的星球。畢竟從恐龍生活的時代直到現在，地球變化了許多，相比起來簡直是兩個完全**不同的世界**！

什麼是**恐龍**？

恐龍曾是地球上**最主要**的陸上動物，共統治了地球1億 7,000萬年，但你知道究竟什麼是恐龍嗎？

恐龍是怎樣的動物？

恐龍的種類繁多，形態大小也各有不同，但是牠們都有一些**共同特徵**。

與爬蟲類的關係

恐龍的英文名稱dinosaur意思是指**「恐怖的蜥蜴」**，像今日我們見到的蜥蜴一樣，所有恐龍都是爬蟲類動物。

現代的綠雙冠蜥
(Green Basilisk Lizard)

由蛋孵化

恐龍是由蛋**孵化**出來的，就像鳥類、魚類和現代爬蟲類動物一樣。

史前的親屬

與恐龍生活在同一個時代的，還有翼龍 (pterosaur) 和蛇頸龍 (plesiosaur) 兩種生物。雖然這兩種動物跟恐龍有點相似，但牠們卻是完全**不同種類**的動物。

鱗片

羽毛

爪

翼龍會飛，蛇頸龍會游泳，但我們恐龍卻是陸地的霸王！

尾巴和爪

所有恐龍都有尾巴和爪：尾巴幫助牠們保持**平衡**，爪則用來打架和捕獵食物。

艾雷拉龍
(Herrerasaurus)
的尾巴

恐爪龍
(Deinonychus)
的尾巴

鱗片或羽毛？

科學家過去一直認為所有恐龍身上都有**鱗片**，現在我們才知道，原來許多恐龍都長有羽毛。

中生代

恐龍生活在中生代 (Mesozoic Era)，
這時代大致可分為**三個時期**。

「中生代」即是
在古代和現代之間
的時代。

腕龍
(Brachiosaurus)

始盜龍 (Eoraptor)

美頜龍
(Compsognathus)

板龍 (Plateosaurus)

劍龍
(Stegosaurus)

腔骨龍
(Coelophysis)

三疊紀時期
(Triassic Period)
約2億5,100萬至2億年前

侏羅紀時期
(Jurassic Period)
約2億至1億4,500萬年前

中生代的三個時期歷時近2億年。

暴龍
(Tyrannosaurus Rex)

很多為人熟悉的恐龍都在白堊紀時期生活。

劍龍出現的時間與暴龍出現的時間相距很遠，甚至比暴龍和人類之間相差的時間還要長！

三角龍 (Triceratops)

恐爪龍
(Deinonychus)

白堊紀時期
(Cretaceous Period)
約1億 4,500萬至6,600萬年前

現代
那就是現在啊！

三疊紀

三疊紀是中生代三個時期中**最初的一個**，歷時5,100萬年，同時是恐龍時代的開始。

槽齒龍
(Thecodontosaurus)

三疊紀世界到處都是沙漠。

三疊紀時期整個世界既炎熱又乾旱。

腔骨龍
(Coelophysis)

三疊紀時期
約2億5,100萬至2億年前

新世界

三疊紀是在生物集羣滅絕後開始，那時地球上的生物幾乎全都**消失不見**。地球經歷了很長時間才復原，但當一切恢復過來，便出現了許多新物種。

真雙型齒翼龍
(Eudimorphodon)

板龍 (Plateosaurus)

第一代恐龍、翼龍、蛇頸龍
和哺乳類動物都是在三疊紀
期間出現。

許多在三疊紀時期
存活的昆蟲，直到
今天仍然存在。

新生命

第一批恐龍化石有2億3,500萬年歷
史，藉着這些化石，我們得知早期
的恐龍比之後出現的巨型恐龍體形
細小得多。

泛古陸

　約2億5,100萬年前，地球上
的土地相連成**一大片陸地**，
稱為泛古陸（Pangaea），又名
盤古大陸。

侏羅紀

侏羅紀是中生代的第二個時期，這段時期氣候温和，創造了一個能讓恐龍**茁壯生長**的環境。

像我一樣的蜥腳類恐龍曾是陸上體形最大的生物。

迷惑龍
(Apatosaurus)

始祖鳥
(Archaeopteryx)

異特龍
(Allosaurus)

劍龍
(Stegosaurus)

我可能是最早學會飛的恐龍！

侏羅紀時期

約2億至1億4,500萬年前

氣候變遷

在侏羅紀時期，地球開始變得清涼和潮濕。雨水有助新的植物生長，使林木茂盛，這代表有**充足的食物**給恐龍食用。

**雙型齒翼龍
(Dimorphodon)**

**翼手龍
(Pterodactylus)**

翼龍是飛行爬蟲類動物，不少翼龍都是在侏羅紀時期出現。

蜀龍 (Shunosaurus)

巨型恐龍出沒

侏羅紀時期出現了許多新品種的恐龍，例如**蜥腳類恐龍**(sauropods)。由於有大量食物，牠們的體形非常巨大。

大地分裂

在侏羅紀時期，泛古陸開始**分裂**，逐漸形成**新大陸**。海水流進土地之間，把它們分隔開來。

白堊紀

白堊紀是中生代的第三個，也是最後一個時期。那是持續了**最久**的時期，但最終仍然逃不掉完結的命運⋯⋯

在白堊紀時期，許多恐龍發展至長有角和鎧甲。

被子植物即有花的植物，它在白堊紀時期首次出現。

阿馬加龍
(Amargasaurus)

禽龍
(Iguanodon)

三角龍
(Triceratops)

白堊紀時期
約1億4,500萬至6,600萬年前

恐龍全盛期

白堊紀是恐龍的全盛期，這段時期出現了許多新品種的恐龍，包括著名的**暴龍**和**三角龍**。

在白堊紀時期,有淺
淺的海水覆蓋陸地。

暴龍
(Tyrannosaurus Rex)

迅猛龍
(Velociraptor)

分散

在白堊紀期間,地球上的陸
地持續分裂,使恐龍分散到
世界**每一個角落**。

恐龍末日

約6,600萬年前,一顆
小行星猛烈撞向地
球,使地球上大部分
生物滅絕,白堊紀從
此告終。

不斷變化的世界

　　在恐龍時代剛開始的時候，地球上的大陸（即所有土地）是相連在一起的。那是一塊非常大的超大陸，名為**泛古陸**。但經過數千萬年後，這片土地開始分裂。

泛古陸的英文名稱Pangaea意思是所有陸地。

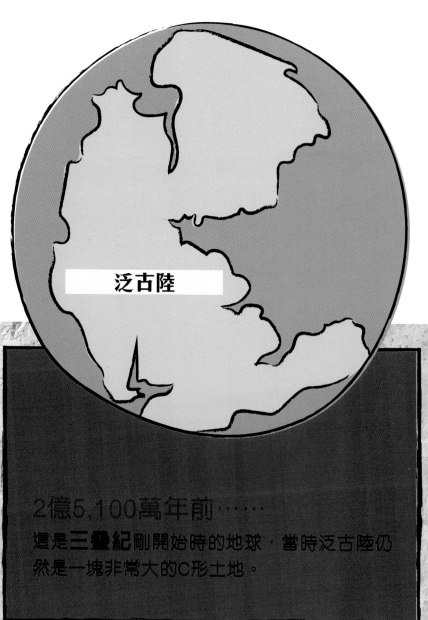

泛古陸

為什麼大陸會移動？

　　地球的地殼由一塊塊巨型的岩石組成，稱為板塊，而下方是液態的岩石。這些液態岩石會慢慢流動，使大陸移動。

2億5,100萬年前……

這是**三疊紀**剛開始時的地球，當時泛古陸仍然是一塊非常大的C形土地。

2億年前……

在**侏羅紀**期間，海洋將泛古陸分為兩個大陸，分別是勞亞古陸（Laurasia）和岡瓦那大陸（Gondwana）。後來，這兩個大陸再陸續分裂。

勞亞古陸

岡瓦那大陸

6,600萬年前……

數千萬年間，大陸不斷分裂。直至**白堊紀**終結時，地球的樣子開始變得和現在有點相似。

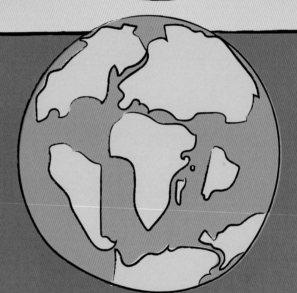

現在……

時至今日，地球共有七個大陸，即**七大洲**。雖然它們仍在移動，但速度慢得有如我們的指甲生長那般。這樣的話，1億年後的地球又會變成怎麼樣呢？

中生代的世界

　　假若你能回到恐龍時代，便會發現當時的環境和今天我們生活的地球非常**不同**。不論是植物、天氣，還是大部分動物，全都變化了許多。

在中生代初期，經常有火山爆發。

氣候暖和

三疊紀、侏羅紀和白堊紀各有不同的氣候，但整體而言，中生代**比現在溫暖**。

沼澤
(Swamp)

植物

中生代大部分時間都沒有花和草，樹木也只有又細又尖的葉子。有些植物現在依然存在，但數量非常**稀少**，甚或已經**絕種**。

針葉樹
(Conifer)

蘇鐵
(Cycad)

蕨類植物
(Fern)

環境

在中生代初期，地球仍未從生物集羣**滅絕**中恢復過來，因此不少地方都是沒有生命的沙漠。不過，其後數百萬年間卻有很多生命繁衍。

人類可以在恐龍世界生存嗎？

假若人類在中生代生活，便需要抵受**高溫**，而且當時的**空氣**會使我們難以呼吸。即使人類能適應以上情況，還要想盡方法躲避那些**可怕的捕食者——恐龍**呢！

地球在三疊紀、侏羅紀和白堊紀時期一直在變化，直到今日仍然不斷改變。

泛古陸分裂，形成了新的大陸。這使地球的景色出現變化，同時創造了前所未有的自然環境，例如森林、河流、山嶺和沼澤。

恐龍的種類

恐龍的種類繁多，難以把牠們逐一說清，幸好有專家把恐龍**分門別類**，以下將會提及一些主要的品種。

似鱷龍
(Suchomimus)

臀部的故事

專家曾經認為應以恐龍**臀部的形態**作為分類，但新證據顯示這或許與牠們的種類無關。

獸腳類 (theropods)

這類恐龍的體形有大有小，包括巨大的暴龍和細小的迅猛龍。牠們全是用兩腳行走，而且是吃肉類的。

暴龍
(Tyrannosaurus Rex)

迅猛龍
(Velocirapto

迷惑龍
(Apatosaurus)

蜥腳類 (sauropods)

這類恐龍體形龐大，是陸上最巨大的生物。牠們是吃植物的，還擁有長長的頸和尾巴。

梁龍
(Diplodocus)

裝甲類(thyreophorans)

這類恐龍也是吃植物的，牠們用四腳行走，還擁有尖刺和鎧甲來保護自己。

劍龍
(Stegosaurus)

甲龍
(Ankylosaurus)

埃德蒙頓甲龍
(Edmontonia)

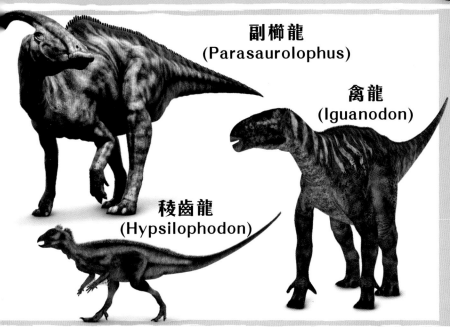

副櫛龍
(Parasaurolophus)

禽龍
(Iguanodon)

稜齒龍
(Hypsilophodon)

鳥腳類 (ornithopods)

這類恐龍非常常見，牠們用兩腳行走來尋找食物，有時會成羣結隊地活動。

厚頭龍
(Pachycephalosaurus)

頭飾龍類
（marginocephalians）

這類恐龍頭上長有頭盾，常見於白堊紀時期。牠們有些用兩腳行走，有些則用四腳行走。

三角龍
(Triceratops)

開角龍
(Chasmosaurus)

恐龍是什麼
樣子？

恐龍可以很巨型，也可以很細小；有的顏色鮮豔，又有的長着羽毛或鱗片，並沒有所謂「標準恐龍」這回事。

美頜龍
(Compsognathus)

南方巨獸龍
(Giganotosaurus)

部分恐龍的體形非常龐大，但也有恐龍小得像雞一樣，例如美頜龍。

相似的特徵

這些奇妙的生物各有不同的形態、大小或顏色。雖然每個種類都是獨一無二，但牠們卻有一些**共同**特徵。

 恐龍有羽毛或鱗片，部分恐龍兩項都擁有。

 所有恐龍的手指和腳趾都有爪。

 所有恐龍都有尾巴。

恐龍放大鏡

每種恐龍的樣子都不同，當中有的恐龍會擁有一些有趣的特徵，
使牠們格外特出。

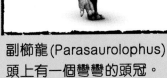

棘龍 (Spinosaurus)
背上好像有一張帆。

尾羽龍 (Caudipteryx)
全身長着柔軟的羽毛。

副櫛龍 (Parasaurolophus)
頭上有一個彎彎的頭冠。

巨大的蜥腳類恐龍擁有長長的頸和尾巴，例如梁龍 (Diplodocus)。

冰脊龍 (Cryolophosaurus) 頭頂長
着一個小小的冠，看來就像搖滾
巨星的髮型。

釘狀龍 (Kentrosaurus) 從背部至
尾巴都有大大的骨板。

三角龍 (Triceratops) 頭上有三隻
角和一個引人注目的頭盾。

那時候還有什麼？

奇妙的恐龍當然會得到大家關注，但其實那時還有許多**其他動物**存在。

惡魔角蛙跟沙灘球的大小差不多！

第一批昆蟲約在4億年前出現！

惡魔角蛙
(Beelzebufo)

昆蟲

有些昆蟲在恐龍**出現之前**已經存在，例如蜻蜓、蟑螂及千足蟲，而螞蟻、蒼蠅、蜜蜂等其他昆蟲就在中生代期間出現。

魚類

早在恐龍出現之前，海洋裏已有**許多生命**存在，包括無數爬蟲類、貝類、甲殼類和魚類的動物，鯊魚也是其中之一呢！

兩棲類

兩棲類動物比恐龍更早出現，還一直存活至現在。其中一種古代青蛙——惡魔角蛙——體形**較大**，足以吞下細小的恐龍。

人類是哺乳類動物，但在恐龍時代我們並不存在。

翼龍是飛行爬蟲類動物，而蛇頸龍是海生爬行動物。

哺乳類

今時今日的地球上，許多成長的哺乳類動物都非常巨大，例如鯨魚、大象等。然而中生代的哺乳類動物體形卻**細小得多**，例如始祖獸。

始祖獸
(Eomaia)

爬蟲類

恐龍是史前的爬蟲類動物，但史前的爬蟲類動物並**不是只有**恐龍。那個時代還有早期的鱷魚、蛇、海龜，以及翼龍和蛇頸龍。

有些史前的海龜體形跟一輛汽車一樣大。

鳥掌翼龍
(Ornithocheirus)

喙嘴翼龍
(Rhamphorhynchus)

牠們不是恐龍！

在史前時代，統治天空和海洋的王者看起來很像恐龍，但牠們其實是另一類動物。

翼龍

這種史前的**飛行爬蟲類動物**體形輕巧，能夠在空中飛翔。牠們的翼由皮膚延伸出來，連接著骨骼。

我們吃很多魚，也吃不少腐肉。嗯，真好吃！

翼手龍
(Pterodactylus)

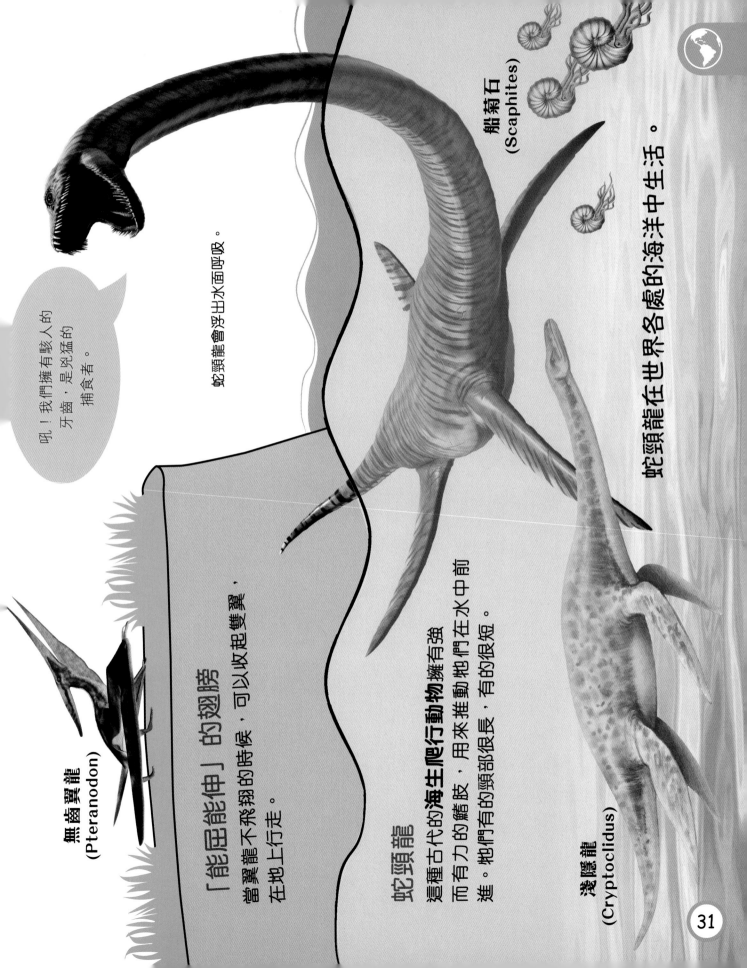

船菊石
(Scaphites)

吼！我們擁有駭人的牙齒，是兇猛的捕食者。

蛇頸龍會浮出水面呼吸。

蛇頸龍在世界各處的海洋中生活。

「能屈能伸」的翅膀

當翼龍不飛翔的時候，可以收起雙翼，在地上行走。

無齒翼龍
(Pteranodon)

蛇頸龍

這種古代的海生爬行動物擁有強而有力的鰭肢，用來推動牠們在水中前進。牠們有的頸部很長，有的很短。

淺隱龍
(Cryptoclidus)

古代的昆蟲

巨大的恐龍太過搶眼，使我們容易忽略一些細小的生物。但是一如現在，那些**小昆蟲**在中生代無處不在。

最早期的昆蟲

蜻蜓和蟑螂約在3億年前出現，比恐龍存在的時期還要早，時至今日仍然可以看到牠們的蹤影。

有些恐龍會吃我們這類昆蟲。

蜜蜂 (Bee)

螞蟻 (Ant)

螞蟻

螞蟻族羣最早在1億年前出現，直到現在已有大約**12,000個**不同的螞蟻種類。

蜜蜂

蜜蜂在有花的**被子植物**存在了數百萬年後出現，那時仍是白堊紀的初期。

認識昆蟲

昆蟲是地球上最普遍、最成功、種類最繁多的生物，而所有昆蟲都擁有一些共同特徵。

✓ 全部昆蟲都擁有六隻腳。

✓ 牠們的身體分為三部分。

✓ 大部分昆蟲有翅膀。

蜻蜓
(Dragonfly)

蝴蝶
(Butterfly)

蒼蠅 (Fly)

蒼蠅

蒼蠅在三疊紀時期出現，與第一代恐龍差不多**同一時間**誕生。

蝴蝶

第一代蝴蝶約在6,600萬年前出現，跟恐龍**滅絕**的時間很接近。

古代的魚類

早在恐龍出現以前，魚類已經在這個世界中的水裏游來游去。

棘龍
(Spinosaurus)

腔棘魚有時會稱
「活化石」。

弓鯊
(Hybodus)

利茲魚
(Leedsichthys)

腔棘魚
(Coelacanth

弓鯊

這種古代**鯊魚**擁有兩副牙齒：一副非常鋒利，另一副卻很鈍，牠們在白堊紀時期絕種。

利茲魚

這種侏羅紀時期的硬骨魚體形**十分巨大**，大小跟現在的殺人鯨差不多呢！

腔棘魚

科學家一直以為這種魚已經和恐龍一同消失，但在1938年竟然**再次找到**牠們的蹤影！

魚類是什麼？

魚類是一個很大的動物族羣，有數千個不同品種，牠們之間有很多共同特徵。

 牠們用鰓在水裏呼吸。

 牠們在淡水或鹹水中生活。

 大部分魚類身上都有鱗片。

 牠們身上有魚鰭，以便在水中向前游和保持平衡。

有些恐龍以魚作為糧食，例如棘龍。害怕……

鋸鰩
(Sawfish)

鱗齒魚

世界上每個角落都找到鱗齒魚 (Lepidotes) 的化石，牠們是**重爪龍** (Baryonyx) 最愛吃的食物之一。

鱗齒魚化石

鋸鰩

鋸鰩擁有長長的的鼻子，外形好像一把木匠用的鋸，所以又稱為「木匠鯊魚」。這種魚在白堊紀出現，到現在仍然存在。

古代的爬蟲類

爬蟲類動物無疑是中生代的**霸王**，但是恐龍、翼龍和蛇頸龍並不是當時唯一的爬蟲類動物。

波斯特鱷
(Postosuchus)

帝龜
(Archelon)

達克龍
(Dakosaurus)

恐鱷咬東西的力量
跟暴龍一樣強大！

恐鱷
(Deinosuchus)

帝龜	恐鱷	波斯特鱷
最久遠的海龜化石大約有2億2,000萬年歷史。帝龜全長4米，是史上**最巨大**的海龜之一。	強大的恐鱷是白堊紀中最厲害的捕食者之一，牠們的體形約是現代**短吻鱷**的兩倍。	雖然波斯特鱷的外貌跟恐龍很相似，但牠們其實是**鱷魚**的親屬，有人推測牠們會吃早期的恐龍作食物。

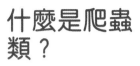

什麼是爬蟲類？

蛇、蜥蜴、鱷魚和陸龜都是爬蟲類動物，牠們之間擁有一些共同特徵。

 牠們的身體上有一層防水的鱗片。

 牠們是冷血動物，需要太陽來保持身體溫暖。

 牠們全是由蛋孵化出來。

我的名字意思是「陸地蜥蜴」，那是因為科學家曾經以為我住在陸地上。

地龍
(Geosaurus)

鏈鱷
(Desmatosuchus)

達克龍	地龍	鏈鱷
這種海洋捕食者在侏羅紀和白堊紀中出沒，牠們泳術了得，會**兇殘地**咬住獵物。	地龍的外貌古怪，會在侏羅紀和白堊紀的海洋中**捕食**魚類。	這種三疊紀爬蟲類動物是現代鱷魚的親屬，牠們的背部和尾巴上都有**骨板**。

古代的哺乳類

在中生代這個由爬蟲類動物統治的世界中，哺乳類動物生活得並不容易。當時的哺乳類動物跟現在**完全不同**。

第一代哺乳類動物全都很細小，但現在全世界最大的動物卻是哺乳類動物。

內蒙古俊獸
(Nemegtbaatar)

大帶齒獸
(Megazostrodon)

摩根齒獸
(Morganucodon)

內蒙古俊獸

雖然這種動物長得跟老鼠很相似，但牠們完全沒有關係。內蒙古俊獸擁有大大的門牙和寬闊的**吻部**，即突出來的鼻子和嘴巴。

大帶齒獸

這種細小又長滿毛髮的動物會奔跑、攀爬和挖洞，就像現在的**老鼠**一樣。

摩根齒獸

這種細小的摩根齒獸會捕食昆蟲，在三疊紀晚期出現，是**最早**出現的哺乳類動物之一。

摩根齒獸的顎骨

什麼是哺乳類？

哺乳類是一種什麼形態和大小都有的動物，你也是哺乳類動物呢！哺乳類動物之間有少許共同特徵。

 ✓ 大部分哺乳類動物生下來就是幼體，並不是由蛋孵化。

✓ 牠們擁有骨骼。

✓ 牠們的身體上長有毛髮。

✓ 牠們是溫血動物。

中國尖齒獸
(Sinoconodon)

大部分早期的哺乳類動物會吃昆蟲，或其他細小的動物。

始祖獸
(Eomaia)

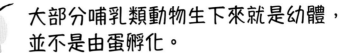

始祖獸	中國尖齒獸	重褶齒蝟
至目前為止只找到一件始祖獸化石，但它保存得非常好。從這件化石可以知道始祖獸四肢短小，有利**攀爬**。	中國尖齒獸小得大概可以坐在你的手掌上，但牠們在侏羅紀時期卻是**最大**的哺乳類動物之一。	這種可愛的動物後肢長得很，推測這是幫助牠們跳來跳去。

重褶齒蝟
(Zalambdalestes)

恐龍的生活

好熱啊！
熱死恐龍啦！

　　雖然恐龍是在那個時代最有優勢的動物，但**生活可不是那麼容易**。牠們不但需要找到足夠的食物充飢，也要提防自己成為其他動物的糧食，每天都是大挑戰啊！為求生存，每隻恐龍都要有一些特殊技能。

恐龍的**晚餐**

　　以恐龍的**食物**來分類，牠們大致可以分為兩類：肉食性恐龍和草食性恐龍。有部分恐龍既吃肉也吃植物，但一般來說都是只擇其一。

肉食餐單

其他恐龍

小型哺乳類動物

爬蟲類動物

魚

昆蟲

蛋

暴龍
(Tyrannosaurus
Rex)

肉食性恐龍

吃肉的恐龍稱為**肉食性動物**，牠們大多擁有良好視力、長腿和鋒利的牙齒幫助捕獵，但有的也會尋找腐肉作糧食。

素食餐單

樹葉
苔蘚
莓果
種子
水果

雜食餐單

植物
小型哺乳類動物
昆蟲
蜥蜴
水果

> 我長得這麼巨型,當然要吃**大量**植物!

肉和植物都吃!

部分恐龍既吃肉也吃植物,牠們稱為**雜食性動物**。

草食性恐龍

這類恐龍稱為**草食性動物**,牠們通常擁有鈍或扁平的牙齒,幫助撕開和咀嚼植物。

> 我們同時擁有扁平和鋒利的牙齒,所以科學家認為我們是雜食性動物。

有些恐龍吃葉子時,不小心吃掉上面的昆蟲,意外地成為了雜食性動物。

慈母龍
(Maiasaura)

畸齒龍
(Heterodontosaurus)

43

肉食性恐龍

在中生代捕獵食物的肉食性恐龍必須非常兇猛，還需要擁有**特殊的技能**和「**武器**」。

肉食性恐龍的「武器」

強勁的顎骨
強而有力的顎骨可以抓住獵物和咬碎骨頭。

鋒利的牙齒
鋸齒狀的牙齒有助刺穿和撕開獵物。

致命的爪
牠們會用爪切開或抓住獵物。

敏捷的後肢
強壯的後肢讓牠們可以追捕行動迅速的獵物。

良好的視力
長在前方的眼睛令牠們擁有極佳視野，能快速鎖定獵物。

粗壯的尾巴
厚重的尾巴幫助牠們保持平衡。

為特殊飲食而設的能力

我們不挑食！除了捕捉新鮮的獵物，還會吃腐爛的動物屍體。

美頷龍
(Compsognathus)

我們強大得可以捕獵體形巨大的草食性恐龍。

暴龍
(Tyrannosaurus Rex)

我們的顎骨長而窄，最適合捉魚來吃。

棘龍
(Spinosaurus)

45

草食性恐龍

大部分恐龍都會吃植物，而不同種類的恐龍各有**特別的裝備**幫助牠們進食不同植物。

草食性恐龍的裝備

強而有力的喙

角龍類恐龍擁有鋒利的喙，讓牠們能剝開堅硬的松樹和蕨類植物。

扁平的牙齒

擁有喙的恐龍通常用扁平的牙齒來咀嚼食物。

長頸

蜥腳類恐龍擁有長長的頸，讓牠們能夠觸及樹頂上的葉子。

釘齒

擁有長頸的草食性恐龍吞下葉子前，會用嘴巴前部的牙齒咬住和割開葉子。

強勁的嘴巴

鴨嘴類恐龍會用嘴巴夾住樹枝，然後一次過扯下大量樹葉。

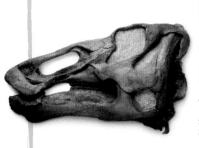

許多牙齒

鴨嘴類恐龍擁有上千顆牙齒來磨碎食物，牙齒數量比大部分恐龍都要多。

三角龍

角龍類恐龍中最著名的三角龍擁有鋒利的**喙**，因此能吃下非常堅硬的植物。牠們還擁有強而有力的牙齒，幫助磨碎食物。

腕龍

大型蜥腳類恐龍會**未經咀嚼**便直接吞下食物，例如腕龍。牠們會吞進石頭，幫助磨碎胃內的植物。

埃德蒙頓龍

這種鴨嘴類恐龍面對捕食者時，幾乎完全沒有自衛能力。因此牠們擁有許多牙齒，讓牠們可以**快速進食**，避免長時間停留在同一個地方。

恐龍的家園

恐龍遍布世界不同的角落，牠們生活的地方稱為**棲息地**，以下是部分主要地區。

沿岸地區

大量植物在水源附近生長，因此河岸和海岸一帶會有許多給草食性恐龍吃的**食物**，而水裏也有魚類可供肉食性恐龍食用。

沙漠

為了在炎熱的沙漠中求生，有些恐龍會隨機應變，吃一些**特別的植物**作為糧食和水源。

平原

廣闊的平原和灌木叢林最適合恐龍成羣結隊地**四處移動**，尋找食物。

在平坦的平原上，捕食者很難偷襲我。

林地

恐龍喜歡樹木茂密的地方，那是因為這裏有許多食物。有些林地很**清涼**，也有一些又熱又**潮濕**。

雖然很多恐龍在水邊生活，但沒有恐龍會住在水裏。海洋由其他爬蟲類動物支配，例如**蛇頸龍**。

自恐龍出現以來，地球變化了許多。有些在沙灘上發現的化石，其實是屬於當時住在山上的恐龍。

羣居生活

大量恐龍成羣結隊地生活和移動，我們稱為**獸羣**。
這些恐龍聚在一起，可以互相幫忙和照應。

部分草食性恐龍會一起移
動到不同地方，為獸羣中
的恐龍尋找新鮮食物。

野牛龍
(Einiosaurus)

化石研究

有些**痕跡化石**顯示了許多恐龍一起
行走的腳印，因此古生物學家認為部
分恐龍是羣居生活的。

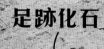

足跡化石

集體行動保安全

恐龍集體行動的主要原因是**保護自己**，免受捕食者攻擊。組成獸羣不僅令牠們看起來更有殺傷力，遇上危險時還可以互相提醒。

化石顯示恐龍獸羣會讓年幼的恐龍排在隊伍中間，以免牠們受到攻擊。

飢餓的捕獵者

有些聰明的捕食者會**合作**捕獵體形比自己大或更危險的恐龍，例如迅猛龍。

有些現代野生動物也是羣居生活的，例如大象、斑馬等。

恐龍的溝通方式

恐龍不會交談，但為了吸引異性，或在危險時互相發出警告，牠們有一套獨特的**溝通方式**。

武器警告

大部分恐龍都希望盡量避免打鬥，因此牠們會向捕食者展示有威力的武器或鎧甲，威嚇對方不要隨便攻擊。

釘狀龍
(Kentrosaurus)

不要吃我呀！
你一定可以找到較少
尖刺的糧食。

頭盾

雖然**牛角龍**頸部的頭盾只是由較輕的骨頭和皮膚延伸而成，但看上去還是很嚇人的！

牛角龍
(Torosaurus)

尖刺

像**釘狀龍**這類恐龍從頭到肩膀，直至尾巴都長滿了尖刺。因此，肉食性恐龍攻擊牠們前必須三思而後行。

化石提供了許多關於恐龍溝通方式的線索，

喝？
喝？

嘈吵的恐龍

相信有部分恐龍能夠**鳴叫**或發出其他**響聲**，但我們難以知道牠們發出什麼聲音。

副櫛龍
(Parasaurolophus)

有些鴨嘴類恐龍的頭骨中有一些管道，大概可以讓牠們發出響亮的聲浪。

背帆

捕食者會選擇體形細小，看來較弱小的恐龍作食物。**豪勇龍**背上長着的背帆，能令牠們看起來巨大一點。

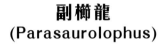

豪勇龍
(Ouranosaurus)

冠飾

冠飾也許對打架沒有幫助，但**賴氏龍**的頭冠卻方便牠們辨認出獸羣中的其他成員。

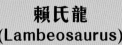

賴氏龍
(Lambeosaurus)

但我們仍然有許多不知道的事情。

恐龍找食物

肉食性恐龍是地球上迄今為止最具殺傷力的動物！
不過牠們捕獵時仍然會遇上危險，因此需要一些**武器和技能**來應付。

今天的晚餐吃什麼呢？

恐爪龍
(Deinonychus)

腦部發達

部分肉食性恐龍很**聰明**，更擁有健全的腦部和良好的感官，例如恐爪龍。牠們會聯合起來，設陷阱去捕捉獵物。

特殊武器

棘龍**擅長**捕捉魚類，牠們長而窄的雙顎長着錐形牙齒，有助咬緊濕滑和不斷掙扎的魚。

暴龍
(Tyrannosaurus Rex)

我們巨大的雙顎充滿
力量，幾乎不花半點力氣
便能咬碎骨頭！

棘龍
(Spinosaurus)

暴龍的牙齒像刀
一樣鋒利，可長
達30厘米。

小盜龍
(Microraptor)

高空飛行

體形細小的肉食性恐龍
不會跟體形龐大的獵物衝
突，像小盜龍這種小型恐龍便
進化至懂得飛行或滑翔，讓牠
們可以從高空**俯衝**下來抓
住小動物。

巨大的捕食者

巨大的獸腳類恐龍是**頂級
捕食者**，例如暴龍。這表示牠
們非常強大，而且具有致命的殺
傷力。除了自己的同類，牠們
不用懼怕任何生物。

55

戰鬥還是 逃跑！

當恐龍遇上恐龍，會發生什麼事？牠們只有以下這幾個選擇……

像雷龍這些巨型恐龍由於體形非常龐大，所以很少受到攻擊，但有時會有捕食者想拚死一戰。

呼呼呼！

**異特龍
(Allosaurus)**

擁有可怕的外形

部分草食性恐龍頭上長有尖銳的角，看來非常嚇人，例如五角龍
(Pentaceratops)。捕食者可能會認為**不值得冒險**攻擊牠，轉而尋找其他較易捕捉的獵物。

強勁的角

砰嘭！

雷龍
(Brontosaurus)

攻擊巨型恐龍是非常危險的。

逃走

對於體形細小又毫無防禦能力的恐龍來說，跟捕食者**鬥快**是唯一的選擇，幸好跑得最快的小型恐龍速度可達每小時80公里！

從後反擊

甲龍(Ankylosaurus)身上有防護鎧甲，牠們的尾巴上還有一個巨大的**尾槌**，能夠撞擊靠近的敵人。

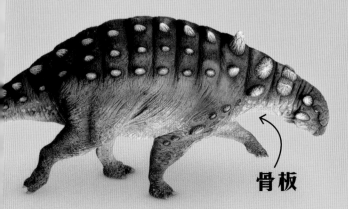

骨板

戰鬥

有些恐龍擁有非常有效的**防禦武器**，例如鐮刀龍(Therizinosaurus)的爪主要用來抓住樹枝，但戰鬥時也能派上用場。

鋒利的爪

恐龍蛋

就像現代的爬蟲類動物一樣，恐龍也是由蛋孵化出來的。恐龍蛋化石可以幫助我們認識年幼的恐龍是如何生長發育。

有些恐龍會照顧剛孵化出來的初生恐龍，但有些初生恐龍卻被丟下來，要自己照顧自己。

築巢

有些恐龍會為自己誕下的蛋築巢，例如**葬火龍**。就像現在許多鳥類一樣，這些恐龍還會坐在蛋上面替牠們保暖。

**葬火龍
(Citipati)**

**恐龍蛋
透視模型**

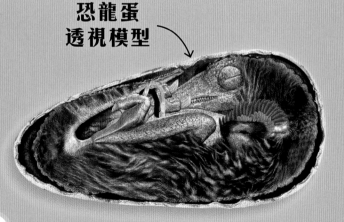

小小的蛋變大恐龍

按照恐龍的種類，恐龍蛋的大小和形狀也不同。但與成年的恐龍相比起來，牠們仍是**相當細小**。有專家相信這代表恐龍可以快速生長至成年大小。

慈母龍
巢穴

迷惑龍的蛋

恐龍蛋有多大？

集體行動保安全

1979年在美國發現了一個規模很大的慈母龍（Maiasaura）巢穴，顯示有些恐龍會在**彼此附近**築巢，牠們這樣做可能是為了確保安全。

偷蛋龍的蛋

雞蛋

一顆迷惑龍蛋跟一個籃球的大小相若，偷蛋龍蛋則比雞蛋大好幾倍。

恐龍，你好！

不管是巨大還是細小，吃肉還是植物，走得快還是慢，恐龍的**種類、形態和大小**遠比你想像的多。仔細閱讀接下來的篇章，認識這些不可思議的動物和牠們的史前親屬吧！

慈母龍
(Maiasaura)

板龍 (Plateosaurus)

畸齒龍
(Heterodontosaurus)

副櫛龍 (Parasaurolophus)

鸚鵡嘴龍 (Psittacosaurus)

稜齒龍
(Hypsilophodon)

草食性恐龍

這些悠閒的草食性恐龍會花一整天來咀嚼植物，而且牠們食量很大！牠們並不是最巨大或最兇猛的恐龍，所以部分恐龍會成羣結隊地出沒，確保安全。

禽龍 (Iguanodon)

畸齒龍  Heterodontosaurus

英文讀音：HET-er-oh-DON-toe-SORE-us

這種行動迅速的小型恐龍體形只有火雞那般大，**獨特的牙齒**使牠們顯得與別不同。

大部分恐龍都只有一種牙齒，我們卻擁有許多種。

吃得靈活

畸齒龍擁有喙，嘴巴裏最前面是細小的牙齒，兩邊則有鋒利的牙齒，方便牠們按食物來選擇**最恰當的進食方式**。牠們還長有長長的獠牙呢！

五隻彎彎的手指

生活時期　　　　　初期

三疊紀　　　　侏羅紀　　　白堊紀

小檔案

我們的獠牙是用來戰鬥，
而不是吃東西。

體形雖小，但行動迅速

強壯的後肢有助畸齒龍迅速逃離
捕食者的攻擊。

畸齒龍這名字的意思是「擁有不同牙齒的蜥蜴」。

這是在南非發現的畸齒龍
化石，可說是目前為止發
掘到最完整的化石之一。

大小：身長約1米　　棲息地：灌木叢林　　食物：植物和昆蟲

鸚鵡嘴龍 Psittacosaurus
英文讀音：si-tak-ah-SORE-us

這隻小小的恐龍可是巨型三角龍的親屬，也是**角龍類**家族中的成員。

我們的臉上有細小而鋒利的角突出來。

鸚鵡

角

大大的喙

鸚鵡嘴龍有一個像鳥一樣的**喙**，所以命名為「鸚鵡蜥蜴」。雖然牠們有牙齒，但強勁的喙可以用來敲碎在森林地面上找到的種子和堅果。

生活時期　　　　　　　　　　　初期

三疊紀　　　　侏羅紀　　　　白堊紀

小檔案

我們是在角龍類家族中最古老、體形最細小的成員。

剛毛又短又硬

身體長滿鱗片

剛毛

了不起的化石

科學家發現了不少鸚鵡嘴龍化石，足以深入認識牠們。這些化石清楚顯示出，鸚鵡嘴龍的尾巴上長有**剛毛**。

後肢很長

大小：身長約2米　　棲息地：森林　　食物：植物和種子

禽龍 Iguanodon

英文讀音：ig-WAH-no-don

這種恐龍平日最喜歡咀嚼植物，但在有需要時，牠們有一種可以保護自己的**秘密武器**。

拇指尖爪
化石

秘密武器

禽龍手上有鋒利的**拇指尖爪**，估計是用來觸碰較高的樹枝，但有需要時也可以用來抵禦捕食者的攻擊。

生活時期

初期

三疊紀　　　　　侏羅紀　　　　　白堊紀

小檔案

科學家曾經以為我們的
拇指尖爪是長在臉上的角，
有點像犀牛角那種。

在比利時同一個地方發現了一組
共38副禽龍駭骨，可以推斷牠
們是羣居生活的。

我們的身體像巴士一樣長，
像大象一樣重。

早期的發現

禽龍是最早被發現的草食性恐龍，
由於牠們的牙齒看來像是屬於巨大
的**美洲鬣蜥** (Iguana)，所以牠們的
英文名稱是Iguanodon。

拇指尖爪約
長14厘米。

大小：身長約9米　　　　**棲息地**：森林　　　　**食物**：植物

板龍 Plateosaurus

英文讀音：plate-ee-oh-SORE-us

這種早期的恐龍屬於**原蜥腳類** (prosauropods)，是像梁龍那種巨型蜥腳類動物的祖先。但牠們跟蜥腳類動物不同，只會用後肢來行走。

德國
（Germany）

在德國一個地方發現了
大量板龍骸骨。

生活時期　後期

三疊紀　　　　侏羅紀　　　　白堊紀

小檔案

強大的草食性恐龍

雖然板龍很重，但**跑得相當快**！
牠們會用手抓住食物，還會用強而
有力的牙齒咀嚼較硬的樹葉。

原蜥腳類的意思是
「在蜥腳類之前」。

板龍有一條長而靈活
的頸，讓牠們能吃高
大樹木上的葉子。

強壯的尾巴
有助平衡。

死在泥裏

科學家在同一地方發現許多板龍骸骨，
因此推斷牠們是整個獸羣一起被困泥
中，並陷進泥裏。這些板龍屍體埋在泥
土數百萬年後，變成了化石。

大小：身長約8米　　　　棲息地：沙漠　　　　食物：植物

稜齒龍 Hypsilophodon
英文讀音：hip-sih-LOAF-oh-don

這隻**草食性恐龍**體形細小，行動迅速，非常適合在樹叢間**奔跑**和**躲藏**，以避開體形較大的捕食者。

強壯的後肢讓我們可以快速奔跑，堅挺的尾巴幫助我們保持平衡。

堅挺的尾巴

稜齒龍跟人類一樣，每隻手都有四隻手指和一隻拇指。

生活時期

初期

三疊紀　　　侏羅紀　　　白堊紀

小檔案

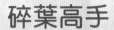

碎葉高手

稜齒龍擁有像喙一樣鋒利的嘴巴,是抓住和撕扯植物的理想工具,而特殊的後排牙齒可以把植物壓碎。

頭骨化石

稜齒龍的大眼睛擁有良好視力,顯示牠們有可能是在晚間活動。

窄窄的喙

稜齒龍獸羣

科學家發現許多稜齒龍的足跡化石位置非常接近,由此推斷牠們是**羣居生活**的。

大小:身長約2米　　棲息地:森林　　食物:植物

副櫛龍 Parasaurolophus
英文讀音：PA-ra-SORE-oh-LOAF-uss

副櫛龍屬於**鴨嘴類恐龍**，但有時會把牠們稱為恐龍版本的牛。

喇叭頭冠

副櫛龍的頭上長有頭冠，可以用來識別牠們的性別，不少專家還相信這頭冠能像喇叭一樣發出**聲音**。

我們跟其他草食性恐龍不同，不管用兩條後肢還是四肢行走也可。

副櫛龍是羣居動物，會和一大羣同伴一起活動。

生活時期

後期

三疊紀　　　　侏羅紀　　　　白堊紀

小檔案

頭冠

我們有數百隻**臼齒**，用來磨碎所有吃下的植物。

大小：身長約9米　　　棲息地：林地　　　食物：植物

慈母龍 Maiasaura
英文讀音：MY-ah-SORE-a

這種草食性恐龍會一大羣聚居起來生活，牠們有可能會一起養育初生恐龍，所以慈母龍這名字就是「**好媽媽蜥蜴**」的意思。

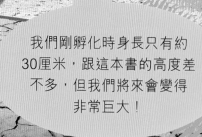

我們剛孵化時身長只有約30厘米，跟這本書的高度差不多，但我們將來會變得非常巨大！

集體行動保安全

慈母龍沒有任何防禦捕食者的武器，但牠們會聚居成數百隻的**獸羣**，這樣就能互相照顧對方。

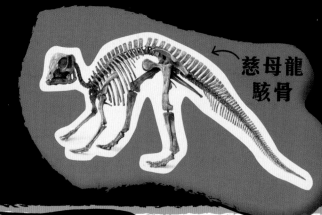

慈母龍骸骨

生活時期

三疊紀　　　　侏羅紀　　　　白堊紀　　後期

小檔案

溫馨家庭

慈母龍會在地上挖洞築巢，然後把恐龍蛋放在洞裏，再蓋上樹葉保暖。當恐龍蛋孵化後，慈母龍嬰兒會留在巢裏，年長的慈母龍會外出找食物餵飼牠們，直至牠們可以自行覓食。

年幼的慈母龍即使已經離巢，在成長階段仍然會跟在媽媽身邊。

慈母龍嬰兒

在1985年，有太空人把一件慈母龍化石帶上太空！

大小：身長約9米　　　　**棲息地**：平原　　　　**食物**：植物

腔骨龍 (Coelophysis)

異特龍 (Allosaurus)

恐爪龍 (Deinonychus)

猶他盜龍
(Utahraptor)

迅猛龍 (Velociraptor)

潛隱女獵龍
(Latenivenatrix)

似鱷龍
(Suchomimus)

艾雷拉龍 (Herrerasaurus)

可怕的捕食者

中生代和現在一樣，都有不少動物是出色的**捕獵高手**。可是，這些史前的肉食性恐龍如今已變成遠古的傳說。你有膽量翻開下一頁，走進歷史裏認識這些可怕的生物嗎？

暴龍
(Tyrannosaurus Rex)

異特龍  Allosaurus
英文讀音：al-oh-SORE-uss

這可怕的捕獵高手行動迅速，擁有致命的爪，還有像劍一樣鋒利的牙齒，齊備所有在侏羅紀時期成為**獵食霸王**的必要工具。

有專家認為我們是用**牙齒**切開獵物。

強壯的後肢讓異特龍能迅速追上獵物。

生活時期

後期

三疊紀　　　　　侏羅紀　　　　　白堊紀

 小檔案

一流的捕食者

異特龍會捕食草食性恐龍，包括劍龍。牠們通常獨自行動，但偶爾也會跟同伴一起活動。不過，從異特龍化石上的咬痕可知道合作不一定有好處，因為牠們到了最後往往會**互相攻擊**！

厲害的牙齒

異特龍最危險的**武器**是牙齒：牠們一生中會不斷更換牙齒，讓牙齒一直保持鋒利。異特龍張開雙顎時會露出寬大的嘴巴，讓牠們能大口大口地吃東西。

異特龍這名字的意思是「奇特的蜥蜴」。

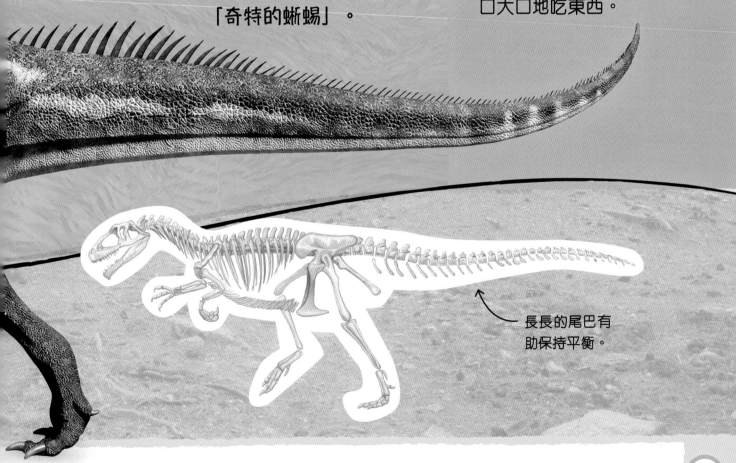

長長的尾巴有助保持平衡。

大小：身長約12米　　　棲息地：林地　　　食物：肉類

迅猛龍 Velociraptor

英文讀音：vel-OSS-ee-rap-tor

這種長滿羽毛的捕食者體形雖小，但行動迅速，而且非常兇殘。牠們會跟同伴**互相合作**，來捕捉獵物。

鋒利的爪

羽毛

迅猛龍這名字的意思是「迅速的小偷」。

生活時期

三疊紀　　侏羅紀　　白堊紀　　後期

小檔案

我們會成羣結隊去捕獵大型獵物，一起跳到獵物背上，並用爪切開牠的肉。

趾爪

最後的戰役

有科學家發現了一件令人難以置信的化石，那是迅猛龍跟原角龍打架時，用**趾爪**插住對方的情境。兩隻恐龍最終因為身體上的傷口雙雙死去，一同埋在沙裏。

細小卻致命

不要小看細小的迅猛龍，牠們可是非常**危險**的捕食者！當牠們捉到獵物時，會用手腳上的利爪和鋒利如刀片的牙齒殺死對方。

大小：身長約2米　　　　棲息地：沙漠　　　　食物：肉類

腔骨龍 Coelophysis
英文讀音：SEE-lo-FYE-sis

這種體形修長的捕食者在三疊紀後期出現，牠們行動迅速，光是單獨一隻已經很**可怕**。如果遇上一羣腔骨龍呢？那真是可怕得不敢想像！

我們每隻手上都有三隻長指和一隻短指。

長指和短指

殘留在胃裏的動物

有一件腔骨龍化石保存得十分完整，讓科學家清楚看到牠臨死前的最後一餐，是吃了一隻小型爬蟲類動物——黃昏鱷。

生活時期　後期

三疊紀　　侏羅紀　　白堊紀

小檔案

長長的頸

天生的捕食者

腔骨龍視力極佳，行動敏捷，是優秀的捕食者。牠們的牙齒細小，形狀像**鈎**一樣，非常適合用來捕捉獵物。

團隊合作

在美國新墨西哥州一個地方發現了數百副腔骨龍骸骨，因此科學家認為牠們是**整個家族**一起生活和捕獵的。

幼幼的尾巴

成年的腔骨龍會教導年幼的腔骨龍如何捕獵。

大小：身長約3米　　棲息地：沙漠平原　　食物：小動物

似鱷龍 Suchomimus
英文讀音：SOO-ko-MIME-us

似鱷龍憑着強壯的身體和狹長的雙顎稱霸沼澤，牠們有如可怕的暴龍征服陸地一般，對沼澤中的**魚類**構成嚴重**威脅**。

外形像鱷魚

似鱷龍這名字的意思是「模仿鱷魚的樣子」，顧名思義就是長得像鱷魚一樣，擁有鋒利的牙齒和**又長又窄的雙顎**。牠們平日在淺水的地方游泳，呼吸時會把吻部露出水面。

似鱷龍從背脊……

在非洲的撒哈拉沙漠發現了似鱷龍的化石，原來撒哈拉沙漠在1億多年前曾是一個沼澤。

生活時期

三疊紀　　　　　侏羅紀　　　　初期　　白堊紀

小檔案

到尾巴都長有尖尖的刺。

我們會用
強而有力的手來
徒手捕魚。

救命！

適合捕魚的嘴巴

似鱷龍的嘴巴非常適合捕魚，牠們口中有超
過120顆牙齒，全部**像鈎一樣向內彎**，能夠
咬住滑溜溜的魚。

大小：身長約9米　　　　**棲息地**：沼澤　　　　**食物**：魚類和海生爬行動物

猶他盜龍 Utahraptor

英文讀音：YOU-tah-RAP-tor

這長滿羽毛的捕食者行動非常迅速，與牠們碰面足以致命！牠們只須使用**巨大的趾爪**，便能輕易地把獵物殺掉。

猶他盜龍會組成團隊，合作捕獵體形較大的恐龍。

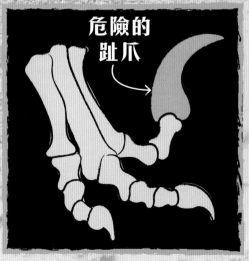

危險的趾爪

致命武器

猶他盜龍一旦追上獵物，便會用鋒利的趾爪去切開或刺死對方。牠們的趾爪足足有**這一頁紙**那麼大！

生活時期

初期

三疊紀　　　　侏羅紀　　　　白堊紀

小檔案

猶他盜龍體形巨大卻十分敏捷，
牠們的重量跟**北極熊**相若。

猶他盜龍英文名稱中
的raptor有「盜賊」
的意思。

超級強盜

猶他盜龍屬於**馳龍類恐龍**
(dromaeosaurs)，這類恐
龍全是兇殘的捕食者，而
猶他盜龍更是其中最巨大
和最兇猛的恐龍。

趾爪

大小：身長約7米　　　棲息地：平原　　　食物：肉類

恐爪龍 Deinonychus

英文讀音：dye-NON-ee-cuss

這種恐龍並不是最巨型的捕食者，但牠們的名稱是指**「恐怖的爪」**，看來還是不要招惹牠們好了！

追捕獵物時，
飛快的速度讓我們
佔有優勢。

聯手攻擊

恐爪龍偶爾會**聯手發動攻擊**，有科學家認為牠們捕食體形較大的獵物時，會跳到獵物背上，用爪和牙齒攻擊對方。

生活時期　　　　　　　　　　初期

三疊紀　　　　侏羅紀　　　　白堊紀

小檔案

我的武器可不是
只有爪，還有60顆
鋒利的牙齒！

致命的趾爪

手腳並用

恐爪龍不光手上有鋒利的爪，牠們每隻腳上都有一隻特別駭人的趾爪。這些「恐怖的爪」可讓獵物受到**嚴重的創傷**。

大小：身長約3米　　　　棲息地：森林和沼澤　　　　食物：肉類

潛隱女獵龍 Latenivenatrix
英文讀音：lah-ten-EYE-vuh-NAY-tricks

潛隱女獵龍曾被人誤認成**傷齒龍**(Troodon)，牠們長得不算龐大或強壯，但憑着智慧、敏銳的視力和移動迅速的後肢，仍能在這個時代活下去。

飛快的速度

潛隱女獵龍外形像鳥類，屬於傷齒龍類恐龍。這類恐龍**行動敏捷**，輕巧的身體和長長的後肢有助牠們迅速逃離捕食者和追捕獵物。

潛隱女獵龍在林地奔馳，到處尋找食物。

生活時期

三疊紀　　　　侏羅紀　　　　白堊紀　　中期

小檔案

極佳的視力

大部分恐龍的眼睛是面向兩側的，潛隱女獵龍卻與眾不同。牠們雙眼**望向前方**，這樣捕獵時便能準確地判斷距離。

不管跟哪種體形的恐龍比較，我的腦部也是數一數二的大。（但其實不是很大啦！）

纖細卻強壯的後肢

顯眼的羽毛

牠們會孵蛋嗎？

有人曾經在放了恐龍蛋的巢上發現成年潛隱女獵龍化石，這表示牠們可能會像現在的雀鳥孵蛋時那樣，**坐在恐龍蛋上**。

大小：身長約3米　　　棲息地：林地　　　食物：小動物

艾雷拉龍 Herrerasaurus
英文讀音：heh-RARE-ra-SORE-uss

行動敏捷的艾雷拉龍在三疊紀中期出現，是**最早**出現的恐龍之一。

靈活的下顎讓我們能夠緊緊咬住獵物。

第一代捕食者

艾雷拉龍作為第一代捕食者，牠們的體形比後來出現的巨型恐龍細小。科學家認為艾雷拉龍有可能是早期的**獸腳類恐龍**，但新證據顯示這想法或許是錯的。

生活時期

中期

三疊紀　　　　侏羅紀　　　　白堊紀

小檔案

雖然艾雷拉龍體形比大部分捕食者細小，但在當時來說，牠們仍是相當巨大的動物。

阿根廷一個農夫發現了我的化石，於是科學家用他的名字來為我命名。

鍬鱗龍
(Stagonolepis)

孤獨的恐龍？

在艾雷拉龍生活的時代，沒有太多其他種類的恐龍存在。幸好當時有**許多早期爬蟲類動物**可以充當食物，例如鍬鱗龍。

頭骨模型

大小：身長約6米　　棲息地：林地　　食物：肉類

暴龍 Tyrannosaurus Rex
英文讀音：tie-RAN-oh-SORE-us reks

暴龍有**恐龍之王**的稱號，在白堊紀時稱霸陸地。
牠們是有史以來陸上最強大的捕食者，沒有任何動物
可與暴龍匹敵。

強壯的後肢

科學家想不通為何我們的
前肢如此細小，它們似乎
沒什麼用處！

快逃！

暴龍體形雖然龐大，速度卻快得
驚人，只有跑得最快的恐龍才有
機會逃出牠們的魔掌！

生活時期

後期

三疊紀　　　　　　侏羅紀　　　　　　白堊紀

小檔案

吼！我是
恐龍之王！

暴龍擁有最強的咬合力，牠們的牙齒能輕易地咬碎骨頭。

**巨大的
足跡化石**

舉世聞名

暴龍令人聞風喪膽，無疑是最著名的恐龍之一。這種巨大的怪獸除了體形比自己更加大的同類外，根本**不用懼怕任何生物**！

大小：身長約12米　　　**棲息地**：森林和沼澤　　　**食物**：肉類

梁龍 (Diplodocus)

南方巨獸龍
(Giganotosaurus)

蜀龍
(Shunosaurus)

棘龍
(Spinosaurus)

薄板龍 (Elasmosaurus)

腕龍
(Brachiosaurus)

風神翼龍
(Quetzalcoatlus)

巨型生物

　　並非所有恐龍、翼龍和蛇頸龍都是龐然大物，但當中有一些確是**非常龐大**！這些巨型生物是史上最大的動物之一，但芸芸巨獸中究竟誰最巨大呢？

阿根廷龍
(Argentinosaurus)

南方巨獸龍 Giganotosaurus

英文讀音：gig-AN-oh-toe-SORE-rus

各位草食性恐龍請小心，有**巨型恐龍**在這裏神出鬼沒！這種巨型的捕食者甚至比聲名顯赫的暴龍更龐大呢！

龐然大物

南方巨獸龍身材高大，光是頭骨已大得跟人類一樣高，是史上**最巨大**的捕食者之一。牠們是在南美洲被發現的，因此這名字有「南方的巨型蜥蜴」的意思。

巨型頭骨

生活時期

三疊紀　　　　　侏羅紀　　　　　白堊紀　　中期

小檔案

時至今日，專家仍不太確定我們究竟有多巨大，這是因為目前只找到少量屬於我們的化石。

南方巨獸龍的頸十分粗壯，能夠支撐牠們巨大的頭部。

巨大的美食

可怕的南方巨獸龍非常強大，能夠捕捉**大型獵物**來吃，包括龐大的獸腳類恐龍阿根廷龍。南方巨獸龍可能會成羣結隊，合力殺掉這類巨型草食性恐龍。

阿根廷龍
（Argentinosaurus）

大小：身長約12米　　　棲息地：林地　　　食物：肉類

梁龍 Diplodocus

英文讀音：dip-LOD-oh-kus

梁龍從頭到尾巴的長度跟兩輛校巴相若，
是史上體形**最長的陸上動物**之一。

極長的尾巴

我們才不溫馴！

攻擊梁龍前必須三思，牠們並不好對付。
尤其是那巨大的身軀和像**鞭子**一樣的尾
巴，會讓捕食者的處境非常危險。

迪皮

在英國倫敦的自然史博物館裏，有一副
梁龍的骸骨複製樣本展覽了超過100年，
牠的名字叫**「迪皮」**(Dippy)。

生活時期　　　　　　　　後期

三疊紀　　　侏羅紀　　　白堊紀

小檔案

梁龍有可能會用長頸來吃樹頂的葉子，
但有部分科學家認為牠們未必可以把頭
抬得太高，只能以矮小的植物作食糧。

細小的
頭部

長頸

粗短的
前肢

梁龍的尾巴佔了
牠全長的一半。

大小：身長約25米　　　棲息地：平原　　　食物：葉子　　　103

蜀龍 Shunosaurus
英文讀音：SHOE-noe-SORE-us

這種**強大的蜥腳類恐龍**即使面對敵人攻擊，仍能好好保護自己。1977年時，有人在中國首次發現蜀龍骸骨。

不要靠近我，
不然我會用尾巴來
攻擊你！

蜥腳「異」類

蜀龍跟所有蜥腳類恐龍一樣，擁有長頸和長尾巴。可是牠們的**頸比其他同類短**，只能吃長在較矮處的樹葉。

生活時期

中期

三疊紀　　　侏羅紀　　　白堊紀

小檔案

厲害的武器

擁有尾槌的蜥腳類恐龍為數不多，而蜀龍正是其中之一。牠們的尾巴上那些尖刺看來能夠擊退危險的捕食者，**砰！**

尾槌

大小：身長約10米　　棲息地：平原　　食物：植物

腕龍 Brachiosaurus

英文讀音：brackee-oh-SORE-uss

這種巨型蜥腳類恐龍的前肢比後肢長，所以牠們的身體像長頸鹿那般傾斜。

此外，腕龍也跟長頸鹿一樣，會從高大的樹上摘取大量食物。

比例上較細小的頭部

頭冠

巨大的身體
腕龍跟所有蜥腳類恐龍一樣，擁有**強壯的四肢**，這樣才能支撐牠們驚人的重量。

我們居住的地方，就是現時北美洲的森林。

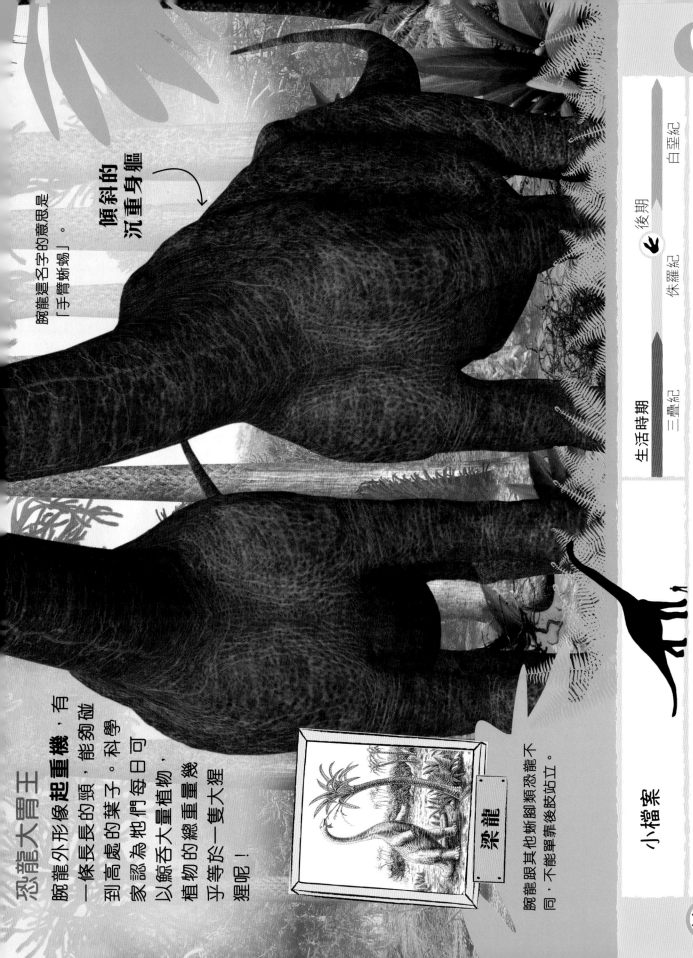

恐龍大胃王

腕龍這名字的意思是「手臂蜥蜴」。

傾斜的沉重身軀

腕龍外形像**起重機**，有一條長長的頸，能夠碰到高處的葉子。科學家認為牠們每日可以鯨吞大量植物，植物的總重量幾乎等於一隻大猩猩呢！

梁龍

腕龍跟其他蜥腳類恐龍不同，不能單靠後肢站立。

小檔案

生活時期

	後期	
三疊紀	侏羅紀	白堊紀

大小：身長約23米

棲息地：森林

食物：高大的植物

風神翼龍 Quetzalcoatlus
英文讀音：ket-zal-KWAT-luss

風神翼龍不列入恐龍類別，也不屬於鳥類。牠們的體形巨大，可能是有史以來**最大**的飛行動物。

我們的飛行**速度**大約是每小時90公里。

嘩，那傢伙真高大！

巨大的喙
風神翼龍的喙長達2.5米，比一個成年人的身高還要長！牠們的喙裏沒有牙齒，只能把獵物整隻活生生地**吞下去**。

生活時期

初期

三疊紀　　　　侏羅紀　　　　白堊紀

小檔案

風神翼龍擁有巨大的雙翼，
讓牠們能夠在天空中飛翔。

天空與陸地

當風神翼龍在空中發現獵物後，牠們便會**降落地面**，並收起雙翼，迅速追上獵物。

我們把身站直時，高度就跟長頸鹿差不多。

速度**快**如獅子

體形**大**如小型飛機

喙**長**得跟人類的身高一樣

羽蛇神
(Quetzalcoatl)

風神翼龍的名稱來自阿茲特克神話，神話中的羽蛇神是一條會飛的大蛇。

大小：翼展長約11米　　　棲息地：平原　　　食物：小型恐龍

棘龍 Spinosaurus

英文讀音：SPINE-oh-SORE-us

雖然巨大的暴龍舉世聞名，但事實上棘龍才是自古以來地球上**最巨型的捕食者**。

捕魚的恐龍

棘龍擁有狹長的雙顎和鋒利如刀片的牙齒，能幫助牠們捕魚。除此之外，專家認為棘龍吻部末端的**小孔**也有助牠們偵察四周浮游的魚。

生活時期

中期

三疊紀　　　　　　侏羅紀　　　　　　白堊紀

小檔案

鋒利的牙齒

嘩，沒想到棘龍竟然這麼**巨大**！

暫時只發現了少量棘龍骸骨，因此專家仍在努力嘗試了解牠們。

暴龍，滾開！
我才是**最巨型的**
捕食者！

有棘的蜥蝪

棘龍這名字的意思是「有棘的蜥蝪」，這個名稱來自牠們背上那**巨大的帆**。專家還不太清楚這個背帆有什麼用處，只知道背帆裏有些骨頭比人類還要大。

棘龍會捕食巨型的魚類，例如腔棘魚。

大小：身長約16米	棲息地：沼澤	食物：魚類

阿根廷龍 Argentinosaurus

英文讀音：ARE-jen-teen-oh-SORE-us

阿根廷龍有可能是陸地上**體形最龐大，體重最重**的生物。跟這隻巨獸相比起來，其他種類的恐龍都顯得相當細小！

阿根廷龍蛋

慢慢成長

一顆阿根廷龍蛋的大小跟一個足球相若。科學家估計牠們要花大約**40年**，才能從嬰兒完全發育至成年的阿根廷龍。

生活時期

三疊紀　　　　　侏羅紀　　　　　白堊紀　初期

小檔案

我的體重大約是
20隻大象的重量！

暫時只發現了少量阿根廷龍骸骨，即使是恐龍專家，仍然對牠們不太了解。

有人在阿根廷發現了我們的化石。

長頸

吃個不停

阿根廷龍需要吃大量食物，來維持牠們龐大的身體。幸好那條長頸讓牠們吃到長在**高處的葉子**，高得其他恐龍碰不到，因而沒有太大競爭。

大小：身長約35米　　棲息地：森林　　食物：植物

薄板龍 Elasmosaurus
英文讀音：el-LAZZ-moe-SORE-us

這種海上怪獸與恐龍活在同一時期，但牠們其實屬於**蛇頸龍**一族。薄板龍那巨大的頸，比整個身體還要長呢！

頸還是尾巴？

科學家首次發現薄板龍化石前，從未見過類似這樣的生物。薄板龍的頸**非常長**，令人誤以為這是尾巴，甚至有人調亂了頭尾，把牠們的尾巴畫成頭部呢。

生活時期

三疊紀　　侏羅紀　　白堊紀　　後期

小檔案

有科學家認為薄板龍的頸能像蛇一樣捲曲起來，但也有科學家覺得牠們的頸沒那麼靈活。

神話中的怪獸

有人認為蘇格蘭的**尼斯湖水怪**和其他來自世界各地神話的**海怪**，真實身分其實是薄板龍。不過這想法並不正確！薄板龍早在6,600萬年前已經絕種，跟恐龍一起在地球上消失。

薄板龍雖會游泳，但看來游得很慢。

薄板龍會在接近海底的地方覓食，呼吸時才浮出水面。

我的頸裏有72塊骨頭，數量比世界上任何一種生物都要多。

鋒利的牙齒有助捕捉獵物。

大小：身長約14米　　　棲息地：海洋　　　食物：魚類和魷魚

近鳥龍 (Anchiornis)

中華龍鳥
(Sinosauropteryx)

美頜龍 (Compsognathus)

始盜龍 (Eoraptor)

小盜龍
(Microraptor)

迷你怪獸

　　認識巨型生物後，千萬別忘了迷你恐龍！這些**小傢伙**體形雖小，但不要因而小看牠們，牠們當中也不乏聰明、狡猾和兇猛的恐龍。讓我們從這些細小的生物中，發掘出無窮趣味吧！

尾羽龍 (Caudipteryx)

尾羽龍 Caudipteryx
英文讀音：kor-DIP-ter-iks

這種小型獸腳類恐龍身上和尾巴都長着羽毛，外形有點像史前的**孔雀**。

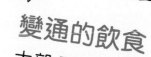

變通的飲食

大部分獸腳類恐龍都只吃肉，但尾羽龍**既吃動物，也吃植物**。牠們的喙裏長滿牙齒，可以咬碎植物、咀嚼昆蟲和打開種子外殼。

我們雖然有羽毛，卻不會飛。那些羽毛是用來保暖，還有讓我們好看一點，以便吸引其他尾羽龍。

生活時期

初期

三疊紀　　　　侏羅紀　　　　白堊紀

小檔案

羣居生活的恐龍

在中國同一個地方發現了數量相當多的尾羽龍化石，代表這批尾羽龍很可能是**一起生活**的。

我們身上最特別的地方是長在尾巴上的羽毛，因此我們的名字意思就是「尾巴上的羽毛」。

大小：身長約1米　　棲息地：河邊　　食物：植物和小動物

美頜龍 Compsognathus
英文讀音：COMP-sog-NAITH-us

誰說捕食者必定要體形**龐大**？美頜龍體形細小，但牠們擁有尖銳的牙齒、鋒利的爪和敏捷的後肢，對捕獵大有幫助。

> 我們擅長捕獵，但假如找到動物屍體，我們也不介意吃腐肉。

體形小，威脅大
美頜龍長得只**比雞高一點**，但細小的身體反而令牠們身手更加敏捷。而且牠們的骨頭是中空的，奔跑時步伐特別輕巧。牠們還會踮起腳尖來跑，提升速度。

生活時期　　　　　　　　　　後期

三疊紀　　　　　侏羅紀　　　　白堊紀

小檔案

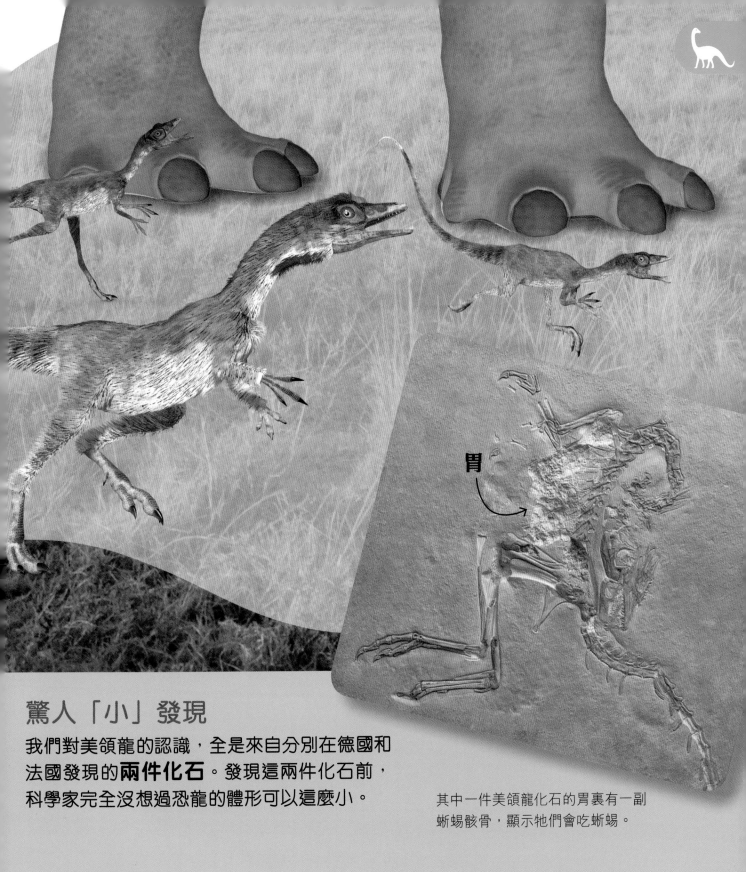

胃

驚人「小」發現

我們對美頜龍的認識，全是來自分別在德國和法國發現的**兩件化石**。發現這兩件化石前，科學家完全沒想過恐龍的體形可以這麼小。

其中一件美頜龍化石的胃裏有一副蜥蜴骸骨，顯示牠們會吃蜥蜴。

大小：身長約1米　　棲息地：灌木叢林　　食物：小動物

始盜龍 Eoraptor
英文讀音：EE-oh-RAP-tor

始盜龍是早期的恐龍之一，大小跟小狗相若。但牠們可不像寵物那般友善，而是一種**兇殘的**捕食者！

我們的牙齒像刀片一樣，能輕易切開獵物的肉，但有些科學家認為我們可能也會吃植物。

始盜龍的視野很廣，差不多每個方向都能看見，有利牠們尋找獵物。

黎明的恐龍

始盜龍這名字的意思是**「黎明的小偷」**，那是因為牠們就像一天之始的黎明時分，生活在恐龍時代剛開始或即將開始的時候。

鋒利的爪

生活時期　初期

三疊紀　　　　侏羅紀　　　　白堊紀

小檔案

科學家現在還不能確定
始盜龍身上長着羽毛
還是鱗片。

爪

這兩指較小，而且
沒有爪。

給我五隻爪！

始盜龍是早期的恐龍，還未發展
完善。例如牠們的前肢各有五
指，但當中僅**三指有爪**。

長而敏捷
的後肢

大小：身長約1米　　　棲息地：河谷　　　食物：小動物

中華龍鳥 Sinosauropteryx
英文讀音：SIGH-no-SORE-op-ter-ix

1996年在中國發現了一件中華龍鳥化石，後來竟成為了非常重要的恐龍發現。為什麼呢？那是因為這化石顯示恐龍也有**羽毛**！

神奇的羽毛

發現中華龍鳥前，所有人都以為恐龍身上只有**鱗片**。不過，中華龍鳥化石上清晰顯示牠體外有**羽毛**覆蓋，讓科學家知道恐龍也會長出羽毛來保暖。

在中國遼寧省還發現了許多令人震驚的化石！

這件中華龍鳥化石徹底改變了專家對恐龍的看法。

生活時期

初期

三疊紀　　　　侏羅紀　　　　白堊紀

小檔案

中華龍鳥這名字的意思是「中國的有翼蜥蜴」。

羽毛的輪廓

腳踏實地
中華龍鳥身上的羽毛像鴕鳥一樣，柔軟又幼細。牠們還有其他鴕鳥的特性：雖**不會飛**，但擁有強壯的長腿，能在地面快速奔跑。

大小：身長約1米　　棲息地：森林　　食物：小動物

近鳥龍 Anchiornis
英文讀音：AN-kye-OR-niss

我們雖然不能正常地飛行，但可以快速向下滑翔去捕捉細小的昆蟲。

長滿羽毛的近鳥龍是史上體形**最小**的恐龍之一，大概只有喜鵲那麼大。

似鳥非鳥

科學家把這種細小的恐龍命名為近鳥龍，意思是**「跟鳥類相似」**，因為兩種生物都是從頭到腳長滿羽毛。

近鳥龍化石

生活時期　　　　　　　　　　　後期

三疊紀　　　　　侏羅紀　　　　白堊紀

小檔案

色彩繽紛的頭

科學家仔細研究近鳥龍化石上的羽毛，認為牠們身體大部分地方都是**黑色和灰色**的，頭上還有一撮**紅色羽毛**。

科學家利用一個特殊的顯微鏡，來弄清我到底是什麼顏色的。

大小：身長約40厘米　　　棲息地：林地　　　食物：主要吃昆蟲

小盜龍 Microraptor
英文讀音：MY-crow-rap-tor

這種外形像鳥類的白堊紀恐龍長得**非常細小**，卻是兇猛的捕食者！牠們的大小跟兔子相若，而且全身長滿羽毛。

臂上和腿上的長羽毛有助滑翔，但當我們在地上奔跑時，就會顯得很笨拙。

在中國發現了許多保存良好的小盜龍化石。

生活時期

初期

三疊紀　　　　　侏羅紀　　　　　白堊紀

小檔案

長着羽毛的前肢

非比尋常的四翼

小盜龍前後肢上都長有羽毛，恍如四隻翼，但牠們並不是鳥類。大部分科學家推測小盜龍是在樹木之間**滑翔**，而不是飛行。

那條長長的尾巴讓我們滑翔時能保持穩定。

鋒利的指爪

嬌小的捕食者

小盜龍這名字的意思是**「細小的盜賊」**，牠們會用牙齒和爪去捕獵小型哺乳類動物、昆蟲和蜥蜴，有新資料顯示小盜龍也會吃魚類。

已經絕種的始祖獸

啊，快逃！

大小：身長約1米　　棲息地：林地　　食物：小動物

戟龍
(Styracosaurus)

阿馬加龍 (Amargasaurus)

蜥結龍 (Sauropelta)

劍龍 (Stegosaurus)

包頭龍 (Euoplocephalus)

三尖八角的恐龍

　　這些恐龍曾經跟史上最兇猛的捕食者正面交鋒，**堅硬的鎧甲**和**強勁的防禦武器**使牠們在戰鬥中表現得毫不遜色。讓我們一起認識這些會反擊的草食性恐龍吧！

包頭龍 Euoplocephalus
英文讀音：YOU-owe-plo-SEFF-ah-luss

很多恐龍會**用牙齒或爪去抵禦**攻擊，但包頭龍卻有另一種方法——全身上下都有一層能保護牠們的鎧甲。

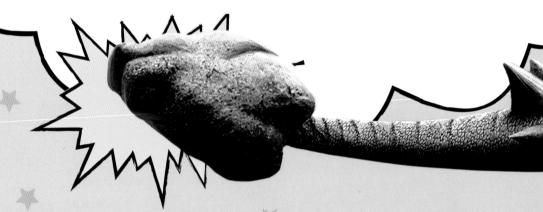

可怕的尾巴

包頭龍的尾巴上有一個又大又重的尾槌，受到攻擊時便會揮動這個能夠「**粉身碎骨**」的尾槌來反擊。

包頭龍身上有一層鎧甲，活像一輛會走路的坦克車。

生活時期

三疊紀　　　　　侏羅紀　　　　　白堊紀　　　後期

小檔案

重量級鎧甲

包頭龍的大小跟兩隻犀牛相若，而且從頭到腳趾，甚至眼瞼都有由**骨板**組成的鎧甲保護。

雖然我很重，但專家認為以我的體形來說，行動尚算快。

釘板

柔軟的肚腩是牠們唯一的弱點。

大小：身長約6米　　　　**棲息地：**林地　　　　**食物：**植物

三角龍 Triceratops
英文讀音：try-SERRA-tops

三角龍擁有一些不容忽視的**防禦武器**，那就是牠們的角和頭盾。尤其在這暴龍四處橫行的時代，牠們的確需要這些武器！

頭盾

角

厚重的頭部

三角龍會跟同伴打架，還會用頭彼此相撞，以取得雌性的歡心，所以牠們需要**堅硬的頭部**，好讓自己能在戰鬥中存活下來。這些堅硬的頭骨化石經過了多年，仍然保存良好。

生活時期　　　　　　　　　　後期

三疊紀　　　侏羅紀　　　白堊紀

小檔案

防禦武器

透過化石，我們得知道暴龍和三角龍常常陷入激烈的戰鬥中。三角龍的頭盾就像一塊厚厚的盾牌，牠們的角又尖又長又堅硬。即使強大如暴龍，面對三角龍時也**不能輕鬆應付**。

我們的大小跟**大象**相若，外形則像**犀牛**。

三角龍愛吃矮小的蕨類植物，而為了確保安全，牠們會羣居在一起。

大小：身長約9米　　　棲息地：森林　　　食物：植物

阿馬加龍 Amargasaurus
英文讀音：ah-MAR-gah-SORE-us

跟其他蜥腳類恐龍相比起來，阿馬加龍的體形相當細小，但那非比尋常的**頸**使牠們顯得非常突出。

我們的頸又長又大，但頭部卻很小。

長長的頸骨

小小的頭部

阿馬加龍是以牠們在阿根廷被發現的地方名稱來命名。

特別的發現

目前只找到**一副**阿馬加龍骸骨，但那件化石的骨骼近乎完整。

阿根廷
(Argentina)

生活時期

三疊紀　　　　侏羅紀　　　　白堊紀　　初期

小檔案

尖刺還是背帆？

阿馬加龍的頸和背部有兩排**長長的骨**突起來，
這有可能是尖刺或背帆，用來吸引其他恐龍，
或是搖晃它來發出聲響。

我們的尖刺是蜥腳類
恐龍中最長的。

大小：身長約11米　　棲息地：灌木叢林　　食物：植物

劍龍 Stegosaurus

英文讀音：
STEG-oh-SORE-uss

只要看看劍龍背上兩排巨大的**骨板**，就明白為什麼牠們又名「板蜥蜴」。

大恐龍，小腦袋

劍龍的腦部在恐龍界來說，的確十分細小。牠們的體形跟大象差不多，腦袋卻**比蘋果還小**，看來不會是聰明的恐龍吧！

生活時期

後期

三疊紀　　　　侏羅紀　　　　白堊紀

小檔案

骨板

只可遠觀

雖然劍龍的骨板看起來很可怕，但專家認為這些骨板只有觀賞作用，例如用來吸引異性或警告捕食者不要攻擊。

曾在異特龍化石上發現由劍龍尾巴造成的孔。

布滿尖刺的尾巴

劍龍的喙鋒利，但沒有牙齒，只能小口地咬葉子和蕨類植物。

當我們受到攻擊時，那布滿尖刺的尾巴便能派上用場，令敵人陷入危險。

大小：身長約9米　　棲息地：林地　　食物：植物

戟龍 Styracosaurus
英文讀音：sty-RACK-oh-SORE-us

許多恐龍都擁有尖刺、角或頭盾，而戟龍竟**同時擁有**這三種武器，令這種草食性恐龍看起來驚嚇十足！

鼻角

戟龍頭骨中的孔有皮膚覆蓋。

戟龍這名字的意思是「有尖刺的蜥蜴」。

頭骨

用哪一個角？

雖然戟龍的頭盾引人注目，可是在戰鬥時作用不大，只能裝模作樣而已。牠們反而會用**鼻上的角**來攻擊。

生活時期

後期

三疊紀　　　　侏羅紀　　　　白堊紀

小檔案

我們那巨大的頭骨約長1.8米，比一般成年人的身高還要長。

頭盾上的尖刺

裝備齊全

戟龍跟著名的三角龍是親屬，但相比起來長得較小，而且牠們擁有其他特色：除了頭盾外，鼻和臉頰上都長有**角**，背部至尾巴還有一排**尖刺**。

大小：身長約5米　　棲息地：林地　　食物：植物

厚頭龍 Pachycephalosaurus
英文讀音：PACK-ee-sef-ah-low-SORE-us

厚頭龍的**頭骨又大又厚**大概是有原因的，可惜科學家還不太確定那是什麼原因。

我們的頭骨比其他恐龍頭骨**厚20倍**。

生活時期

後期

三疊紀　　　　侏羅紀　　　　白堊紀

小檔案

頭骨作頭盔

厚頭龍那特殊的頭骨非常堅硬，這或許有**保護**作用，但實際用途到底是什麼？

1 有人認為厚頭龍跟同類戰鬥時，會像成年雄鹿一樣，用頭相撞來**展示力量**。這就能解釋為何牠們需要厚厚的頭骨，不過這說法沒有任何證據支持。

2 另有人指出厚頭龍會把頭當作**撞槌**，去撞擊與牠們靠得太近的恐龍。

噢！

砰！

大小：身長約5米　　　棲息地：森林　　　食物：植物、水果和種子　　143

蜥結龍 Sauropelta
英文讀音：SORE-oh-PELT-ah

結實強壯的蜥結龍跟**犀牛**大小相若，但身上那布滿骨釘的厚重鎧甲使牠們比犀牛重得多。

扁平的頭骨

尖刺

超級盾牌

蜥結龍這名字的意思是「蜥蜴甲盾」，那**堅硬的獸皮**和**巨大的尖刺**就像盾牌，能保護牠們免受傷害。不過，蜥結龍很可能會選擇進攻或逃跑。

我們擁有寬闊的喙和細小的牙齒，最適合吃植物了。

生活時期

中期

三疊紀　　　　侏羅紀　　　　白堊紀

小檔案

捕食者請注意！

蜥結龍頸上有巨大的尖刺，還有一層厚厚的鎧甲，恍如穿起了武士盔甲。這些裝備會讓想吃蜥結龍的肉食性恐龍難以得手。

布滿骨釘的鎧甲

短腿

大小：身長約5米　　棲息地：林地　　食物：植物

華陽龍 Huayangosaurus
英文讀音：hoy-YANG-oh-SORE-uss

這種草食性恐龍是**劍龍家族**最早期的成員之一，雖然牠們長得比大名鼎鼎的劍龍小，但一眼便能看出相似之處。

那長有尖刺的尾巴能保護我們，免受捕食者傷害。

生活時期

中期

三疊紀　　　　侏羅紀　　　　白堊紀

小檔案

化石發現

華陽龍化石是在**中國**一個石礦場內發現的，當時還找到大量不同種類的恐龍化石，總數超過8,000塊。那個石礦場過去是個巨大的湖泊。

劍龍家族

華陽龍和劍龍住在不同的棲息地，生活時期更是相距數千萬年，但牠們的外形十分相似。兩種恐龍背上都有可怕的**骨板**，還有**布滿尖刺的尾巴**。不過華陽龍的骨板更尖，而且肩膀也長有尖刺。

華陽龍

骨板比
劍龍尖

四肢長
短一樣

劍龍

後肢較長

大小：身長約4米　　棲息地：河谷　　食物：植物

賴氏龍
(Lambeosaurus)

鐮刀龍
(Therizinosaurus)

似雞龍
(Gallimimus)

豪勇龍
(Ouranosaurus)

冠龍 (Corythosaurus)

雷神翼龍
(Tupandactylus)

外形出眾的生物

　　這些神奇又古怪的生物憑着身上的冠飾、顏色、羽毛或背帆，在羣龍中顯得**別樹一格**。不過，在中生代成為焦點其實相當有用，還不快來了解一下原因！

五彩冠龍 (Guanlong)

青島龍 (Tsintaosaurus)

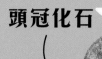

賴氏龍 Lambeosaurus
英文讀音：LAM-bee-oh-SORE-uss

賴氏龍最著名的是牠們的頭冠，因為這種大型草食性恐龍是暫時唯一被發現頭冠上有**兩個尖角**的恐龍。

頭冠化石

頭冠上的兩個尖角

一排排牙齒

我們屬於鴨嘴類恐龍的家族。

神秘的冠飾

自發現賴氏龍的頭冠化石以來，科學家一直對它的用途感到疑惑，不知道它有什麼實際作用，但有人認為這可能是用來向同類**展示**。

生活時期

後期

三疊紀　　　　侏羅紀　　　　白堊紀

小檔案

很多牙齒的草食者

賴氏龍的喙跟鴨嘴相似，還有**數百顆牙齒**可以咬碎葉子。牠們的牙齒一生中會不斷再生，讓牙齒一直保持健康。

科學家勞倫斯‧賴博 (Lawrence Lambe) 發現了第一件我們的化石，因此以他的姓氏來為我們命名。

大小：身長約9米　　　棲息地：林地　　　食物：植物和葉子

豪勇龍 Ouranosaurus
英文讀音：oo-RAH-no-SORE-uss

豪勇龍是體形龐大的草食性恐龍，平日會花很多時間來咀嚼植物。牠們在河岸一帶生活，這地方正是現時的**非洲**。

專家認為我行動很緩慢。

生活時期		
三疊紀	侏羅紀	初期 白堊紀

小檔案

揚「帆」出沒

豪勇龍擁有一個顯眼的背帆，那是由長有鱗片的皮膚覆蓋着骨骼而成。科學家認為牠們會以背帆來**吸引異性**，或是用來在炎熱的天氣下**降溫**。

豪勇龍的名字來自古老的希臘神**烏拉諾斯**（Ouranos），但這名字還有另一個意思指「勇敢的蜥蜴」。

背帆

豪勇龍和棘龍的背帆看起來很相似，但牠們是兩種完全不同的恐龍：豪勇龍是草食性動物，棘龍則是肉食性動物。

尼日共和國
(Niger)

沙中的秘密

豪勇龍化石是在尼日共和國一個**沙漠中發現**的，那件化石埋在鬆散的沙裏，能輕鬆地徒手挖掘出來。

大小：身長約7米　　　　**棲息地**：河岸　　　　**食物**：植物

青島龍 Tsintaosaurus
英文讀音：SIN-tow-SORE-uss

這種恐龍外形奇特，自從發現了牠們的化石後，科學家一直對那頭頂上的冠飾感到**疑惑**。

我們屬於鴨嘴類恐龍的成員，擁有像鴨嘴似的喙。

前或後？

科學家起初只找到冠飾的一部分，所以推測它是像獨角獸那樣指向**前方**。現在我們才知道，青島龍的冠飾其實是指向**後方**。

這草食性恐龍用四肢行走，但可以靠後肢站立。

生活時期　　　　　　　　　　　　　後期

三疊紀　　　　侏羅紀　　　　白堊紀

小檔案

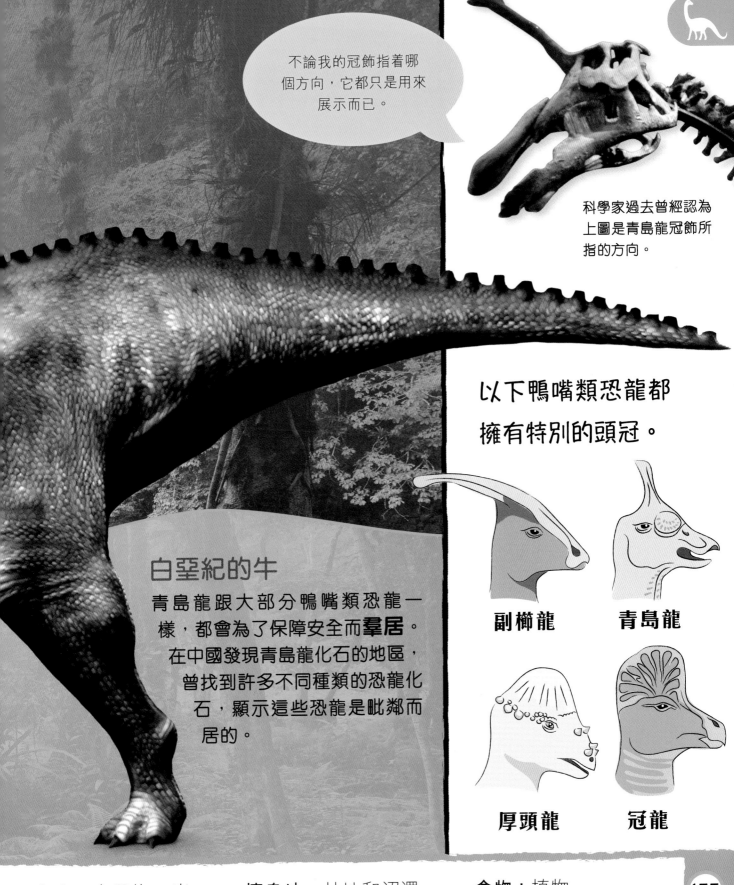

不論我的冠飾指着哪個方向，它都只是用來展示而已。

科學家過去曾經認為上圖是青島龍冠飾所指的方向。

以下鴨嘴類恐龍都擁有特別的頭冠。

副櫛龍　　　青島龍

厚頭龍　　　冠龍

白堊紀的牛

青島龍跟大部分鴨嘴類恐龍一樣，都會為了保障安全而**羣居**。在中國發現青島龍化石的地區，曾找到許多不同種類的恐龍化石，顯示這些恐龍是**毗鄰而居**的。

大小：身長約10米　　　棲息地：林地和沼澤　　　食物：植物

五彩冠龍 Guanlong
英文讀音：GWON-long

五彩冠龍是我們最早知道的**暴龍族恐龍**，牠們是暴龍的親屬，但彼此身處的時間卻相差9,000萬年。

頭冠還是皇冠？

2006年在中國首次發現五彩冠龍的化石，當時因為牠們頭頂上長有頭冠，於是命名為**「皇冠龍」**，五彩冠龍的名字就是來自這個中文名稱。

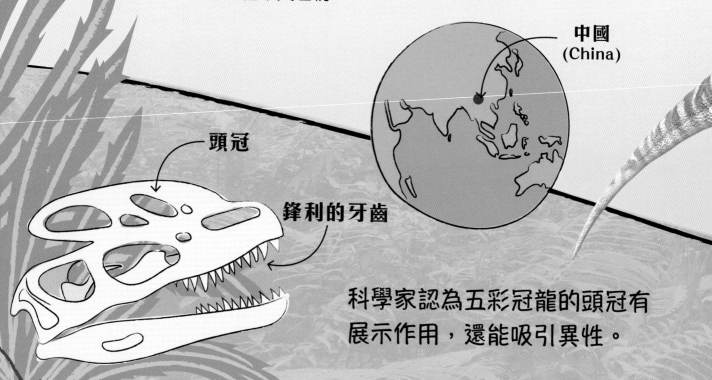

中國 (China)

頭冠

鋒利的牙齒

科學家認為五彩冠龍的頭冠有展示作用，還能吸引異性。

生活時期

中期

三疊紀　　　　　侏羅紀　　　　　白堊紀

小檔案

大部分暴龍家族的恐龍都只有兩指，但我們有三指。

五彩冠龍的身體是被毛皮或羽毛覆蓋。

較短的前肢

五彩冠龍捕食小型恐龍和爬蟲類動物。

大小：身長約3米　　　**棲息地**：林地　　　**食物**：肉類

冠龍 Corythosaurus
英文讀音：ko-RITH-oh-SORE-us

科學家發現冠龍時，覺得牠們的**頭冠**看起來像古希臘士兵的頭盔，於是稱牠們為「頭盔蜥蜴」。

冠龍是用四肢行走的，但不排除牠們也可以用兩條後肢來走路。

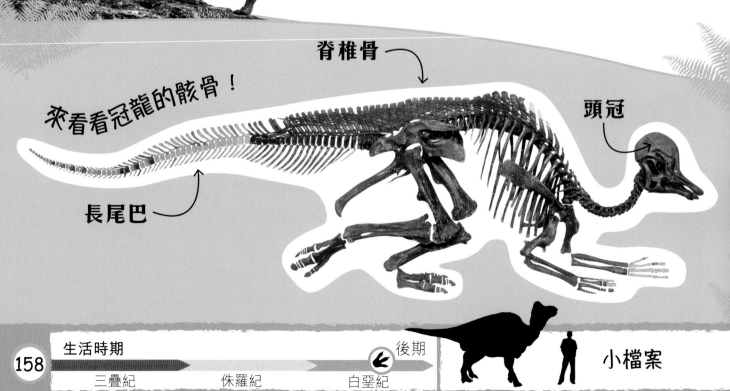

脊椎骨

頭冠

來看看冠龍的骸骨！

長尾巴

生活時期

後期

三疊紀　　侏羅紀　　白堊紀

小檔案

沿着我們的背部有一條凸起的脊椎骨。

音樂奇才？

冠龍的頭冠是中空的，並連接着鼻子，估計牠們的頭冠可以像**喇叭**一樣發聲，藉此與同伴溝通。

冠龍會吃水果和松針，還有樹枝、葉子和種子。

大小：身長約9米　　棲息地：森林　　食物：葉子和種子

鐮刀龍 Therizinosaurus
英文讀音：THERRY-zin-oh-SORE-us

鐮刀龍擁有長長的頸、圓圓的肚子、巨大的爪和粗短的後肢，這一身外形使牠們稱得上**最奇特的恐龍**之一。

樹頂用餐

鐮刀龍跟長頸鹿一樣是高個子，加上那條長長的頸，讓牠們可以從高大的樹木上採摘葉子來吃。

長滿羽毛的身體

巨大的爪

瘋狂的巨爪

鐮刀龍化石顯示牠們的爪像棒球棒那般長，真恐怖！作為草食性恐龍，鐮刀龍可能是用這巨爪來防禦或把樹枝扯下來。

強壯的後肢

與別不同

鐮刀龍屬於獸腳類恐龍，但他們跟其他同類的飲食習慣並不相同，只會吃植物而不捕食肉類。

我們的肚子又大又圓，那是因為裏面有龐大的消化系統，來處理我們吃下的大量樹葉。

小檔案

生活時期

三疊紀　侏羅紀　白堊紀

後期

食物：植物

棲息地：森林

大小：身長約8米

強壯的後肢和輕巧的身體使我成為最強的跑手。

似雞龍 Gallimimus
英文讀音：GAL-ih-MIME-us

似雞龍最有名之處，就是**超快的速度**。牠們有可能是有史以來跑得最快的恐龍。

大眼睛

似雞龍像現代的雀鳥一樣，骨頭是中空的。

吞下石頭

似雞龍沒有牙齒，所以會吞下石頭，讓石頭在胃裏**磨碎**葉子，幫助消化。

沒有牙齒的喙

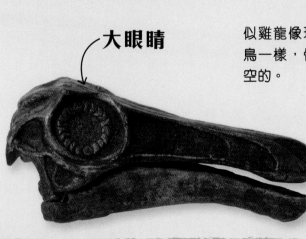

生活時期

後期

三疊紀　　　　侏羅紀　　　　白堊紀

小檔案

鴕鳥恐龍

似雞龍又名「鴕鳥恐龍」，牠們屬於似鳥龍類恐龍（ornithomimids），意思是「鳥類的模仿者」。

強壯的長腿

似雞龍活像鴕鳥一樣，後肢行動敏捷，還有一雙大眼睛。

鴕鳥 (Ostrich)

大小：身長約6米　　　　**棲息地**：沙漠平原　　　　**食物**：葉子和昆蟲

雷神翼龍 Tupandactylus

英文讀音：too-pan-DAK-til-us

這種神奇的恐龍長有翅膀，頭上還有一個**精緻的冠飾**。這個冠飾顏色非常鮮豔，可以用來**展示**和吸引異性。

在天空中飛翔

看看右圖，這是小鳥還是蝙蝠？統統不是，牠是**翼龍**！翼龍像蝙蝠一樣，身上的一雙翼由骨骼、肌肉和一層薄薄的皮膚組成。可是牠們也不盡相同，蝙蝠是哺乳類動物，翼龍則是爬蟲類動物。

巨大的翼展

信天翁以3米的翼展，成為現時翼展最大的生物。不過，雷神翼龍的翼展幾乎比牠們大兩倍！

長長的翼

生活時期

三疊紀　　　　侏羅紀　　　　白堊紀　　中期

  小檔案

搖搖欲墜的冠飾

雷神翼龍的冠飾太大了，大得令牠們難以飛行。因此牠們大部分時間都會**待在陸地上**，收起雙翼到處走動。

雷神翼龍的冠飾由角蛋白組成，跟構成我們指甲的物質相同。

我的冠飾或許不太實用，但的確令人印象深刻，是嗎？

無齒翼龍 (Pteranodon)

雙型齒翼龍
(Dimorphodon)

天山哈密翼龍
(Hamipterus)

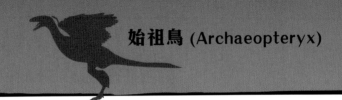

始祖鳥 (Archaeopteryx)

在空中飛翔的生物

早在鳥類還未出現之前，這些怪誕的飛行爬蟲類動物已經拍着堅韌的雙翼飛上天空。牠們並不是恐龍，但在中生代大部分時間都與恐龍共存。大家來跟**翼龍族**打個招呼吧！

喙嘴翼龍
(Rhamphorhynchus)

始祖鳥 Archaeopteryx

英文讀音：
ar-kee-OP-ter-ix

始祖鳥體形雖然很**細小**，但牠們卻是古生物學史上最重大的發現之一。

長有牙齒的喙

失落的連繫

發現始祖鳥恍如填補了**恐龍**和**鳥類**之間的缺口，足以證明這兩類動物是有關連的。

始祖鳥同時擁有爬蟲類和鳥類的特徵。

生活時期　　　　　　　　　後期

三疊紀　　　侏羅紀　　　白堊紀

小檔案

飛行爬蟲類動物翼龍已經出現了好一段時間，但我可是第一批會飛的恐龍啊！

長有羽毛的翅膀

德國 (Germany)

布滿羽毛的尾巴

奇妙的羽毛

在德國找到一件非常細緻的始祖鳥化石，上面的痕跡清楚顯示出牠們的**翅膀**和**尾巴**上長有羽毛。

大小：身長約30厘米　　棲息地：森林　　食物：昆蟲和小型爬蟲類動物

無齒翼龍
Pteranodon
英文讀音：teh-RAN-oh-don

我們會成羣結隊地在空中飛翔。

無齒翼龍的冠飾只是用作展示。

約在8,000萬年前，一羣擁有巨大**雙翼**的無齒翼龍在高空滑翔並向下衝，那真是一個非常壯觀的畫面啊！

滑翔高手

無齒翼龍的身體像風箏一樣，讓牠們能一邊高速飛行，一邊尋找食物。無齒翼龍還能乘着風**滑翔**，偶爾才會拍動雙翼。

無齒翼龍擁有窄長的喙，能飛快地把魚撈起來。

生活時期

中期

三疊紀　　　侏羅紀　　　白堊紀

小檔案

沒有牙齒
的喙

粗短細小的
指爪

冠飾

塘鵝的喉囊

無齒翼龍沒有牙齒,因此科學家推測牠們像塘鵝那樣擁有一個袋子似的**喉囊**。

無齒翼龍這名字的意思是「沒有牙的翅膀」。

長有毛皮的
身體

塘鵝
(Pelican)

大小：翼展長約9米　　　棲息地：沿海地區　　　食物：魚類

天山哈密翼龍
Hamipterus
英文讀音：ham-IP-ter-us

2017年，在中國發現了約200顆天山哈密翼龍蛋的化石，這項驚人發現讓科學家對翼龍有**更深入**的認識。

在同一個地方發掘到這麼多蛋化石，表示天山哈密翼龍是羣居於同一個巢穴裏。

蛋

骸骨

不會飛的嬰兒

部分蛋裏仍然保存着天山哈密翼龍的胚胎化石，這些胚胎的翼骨還未發展起來，因此有科學家估計牠們初生時還**不會飛行**，但也有學者持相反意見。

生活時期

初期

三疊紀　　　　侏羅紀　　　　白堊紀

小檔案

大型冠飾

重要發現

翼龍蛋化石**非常罕有**，因此在中國發現的這些蛋化石可說是寶藏，讓科學家能研究翼龍嬰兒的發育和成長。

專家認為翼龍在孵化前，會在蛋內發育一段長時間。

摺疊的翼

長長的牙齒有助我們捕魚來餵飼幼兒。

大小：翼展長約3米　　棲息地：河流或湖泊一帶　　食物：魚類

喙嘴翼龍 Rhamphorhynchus
英文讀音：ram-foe-RINK-us

喙嘴翼龍體形雖小，卻是**強大的飛行動物**。牠們在侏羅紀時期的海面上飛翔，吞嚥所有捕捉到的魚。

海上捕獵

喙嘴翼龍在靠近河流和沿海的地方生活，牠們會在水面上飛來飛去，然後**向下衝去**捉魚，並用鋒利尖銳的牙齒把魚緊緊咬住。

鑽石形標 →

生活時期

後期

三疊紀　　　侏羅紀　　　白堊紀

小檔案

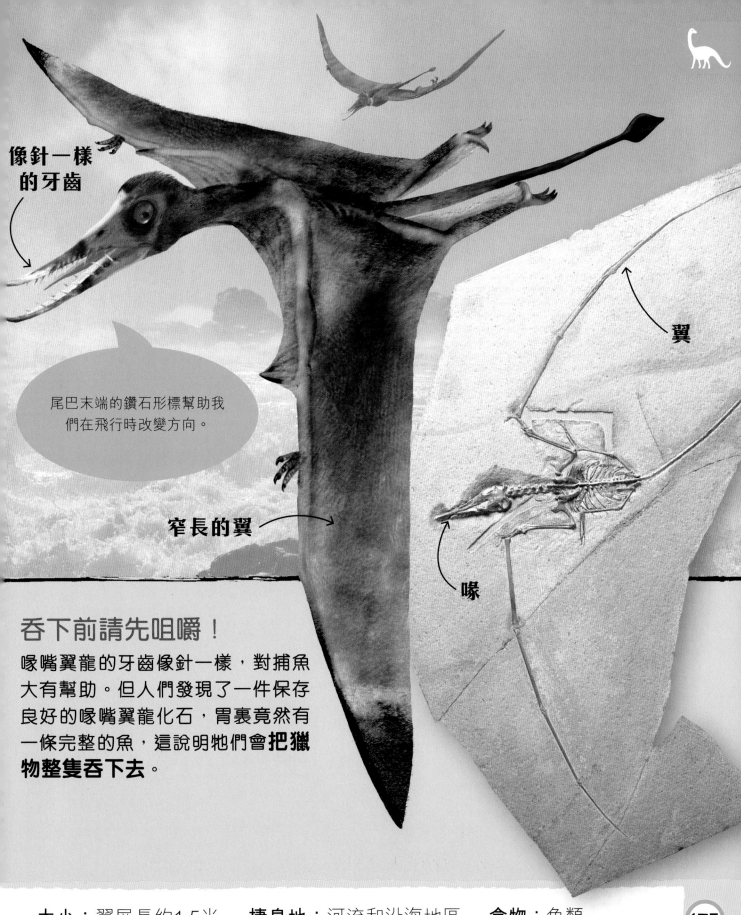

像針一樣
的牙齒

尾巴末端的鑽石形標幫助我
們在飛行時改變方向。

窄長的翼

翼

喙

吞下前請先咀嚼！
喙嘴翼龍的牙齒像針一樣，對捕魚
大有幫助。但人們發現了一件保存
良好的喙嘴翼龍化石，胃裏竟然有
一條完整的魚，這說明牠們會**把獵
物整隻吞下去**。

大小：翼展長約1.5米　　**棲息地**：河流和沿海地區　　**食物**：魚類

雙型齒翼龍 Dimorphodon
英文讀音：dye-MOR-foh-don

這種細小的翼龍看起來跟其他親屬不同是有原因的——牠們是**最早出現的翼龍族**之一。

牙齒真大啊！

雙型齒翼龍這名字的意思是「兩款牙齒」，因為牠們擁有一排**大牙**和一排**小牙**。

長長的上排牙齒

雙型齒翼龍會在陸地上捕獵動物，但牠們也會在海面上盤旋，抓捕魚類。

小檔案

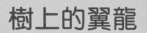

樹上的翼龍

雙型齒翼龍跟後來出現的其他翼龍不同，不太擅長飛行，只能在空中短暫停留。但牠們善於**攀爬**，能夠像松鼠那樣在樹上快跑。

我的頭很大，長度大約是身長的三分之一。

雙型齒翼龍化石

雙型齒翼龍用四肢來行走，但速度並不算快。

大小：翼展約長1米　　**棲息地**：沿海地區　　**食物**：魚類和小動物

滄龍 (Mosasaurus)

菱龍 (Rhomaleosaurus)

滑齒龍 (Liopleurodon)

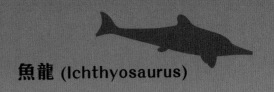

魚龍 (Ichthyosaurus)

深海中的生物

　　當恐龍統治陸地的時候，中生代的海洋裏卻擠滿了奇妙的**海生爬行動物**。讓我們深深吸一口氣，潛入這個史前的深海世界，發掘一下裏面藏着什麼生物吧！

克柔龍 (Kronosaurus)

滄龍 Mosasaurus
英文讀音：MOSE-ah-saw-rus

這種外形像**鱷魚**的巨獸是最後的巨型海生爬行動物之一，牠們在白堊紀晚期的海洋世界橫行無忌。

頭骨跟人類大小相若。

現代滄龍

科學家認為這巨大的海生爬行動物跟現在陸地上的某些動物有遠親關係，例如**蛇**和**巨蜥**。

我不喜歡待在水裏，還是在陸地上比較好！

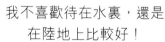

巨蜥
(Monitor lizard)

生活時期

後期

三疊紀　　　　侏羅紀　　　　白堊紀

小檔案

靈活的雙顎讓
我們能把小型獵物
整隻吞下去。

扁平的長尾巴有助滄
龍在水中向前移動。

巨大的鰭肢

菊石
(Ammonite)

晚餐吃什麼？

滄龍不會偏吃，從魷魚和魚類，以至海龜和
菊石，甚或靠在海邊的小型恐龍都會吃。

大小：身長約15米　　　棲息地：海洋　　　食物：魚類和海生爬行動物

滑齒龍 Liopleurodon
英文讀音：LIE-oh-PLOOR-oh-don

沒想到這種重量級的巨獸竟然是游泳高手，而且**速度驚人**！牠們的大小跟鯨魚相若，卻可毫不費力地在水裏暢泳。

厲害的鰭肢

讓滑齒龍高速游泳的秘密武器，就是牠們身上的**鰭肢**。只要不斷上下拍動前後各一對的鰭肢，便能在水中飛快地向前游。

強而有力
的鰭肢

生活時期　　　　　　中期

三疊紀　　　侏羅紀　　　白堊紀

小檔案

威力驚人的捕食者

令動物聞風喪膽的史前捕食者不僅在陸地上才有，海裏的滑齒龍雙顎能**媲美暴龍**，跟眾多強勁的恐龍同樣厲害！

駭人的牙齒

我們跟所有海生爬行動物一樣，會浮上水面呼吸。

超級嗅覺

滑齒龍能成為海洋中最致命的捕食者，不光是因為速度和力量。專家還認為牠們的**嗅覺極度敏銳**，對捕捉獵物非常有利。

鼻孔

大小：身長約7米　　棲息地：海洋　　食物：海洋生物

魚龍 Ichthyosaurus
英文讀音：ICK-thee-oh-SORE-uss

雖然魚龍長得跟海豚很相似，但牠們其實在侏羅紀初期便出現，是一種行動迅速的**海生爬行動物**。

游泳高手

魚龍一如海豚，是海洋中的捕獵高手。但海豚是依靠靈敏的聽覺來捕獵，魚龍則運用**敏銳的視覺**，在漆黑一片的海裏追蹤獵物。

尖尖的牙齒

巨大的眼睛

生活時期　　　　　　初期

三疊紀　　　侏羅紀　　　白堊紀

小檔案

我們有長長的雙顎和尖尖的牙齒，令捕魚易如反掌！

光滑的皮膚

出生先要學游泳

魚龍跟其他爬蟲類動物不同，不會下蛋，而是直接誕下嬰兒。魚龍嬰兒出生時**尾巴會先出來**，讓牠們不會被水溺死。

靈活的鰭

窄長的顎

大小：身長約2米　　棲息地：海洋　　食物：魚類和魷魚

菱龍 Rhomaleosaurus
英文讀音：ROME-alley-oh-SORE-us

作為侏羅紀初期的海洋霸主，這種強大的**蛇頸龍**在深海中游來游去，沿途攻擊遇上的魚類、魷魚和其他海生爬行動物。

我們像鱷魚那樣擁有尖銳的牙齒，能緊緊咬住滑溜溜的獵物。

尖銳的牙齒

我們拍動身上的鰭，就好像振翅飛翔一般在水中高速穿梭。

生活時期　　　　　初期

三疊紀　　　侏羅紀　　　白堊紀

小檔案

捕獵裝備

菱龍是擁有**敏銳視力**和**靈敏嗅覺**的游泳高手，一旦發現獵物的蹤影，牠們便會拍動巨大的鰭高速衝向對方。

短頸

菱龍的頸比其他蛇頸龍短得多。

鰭

強大的蜥蜴

菱龍是兇猛的捕食者，因此牠們的名字有「強大的蜥蜴」之意。當牠們捕捉到獵物後，便會**扭動**把獵物撕成小片來吞吃。

大小：身長約7米　　　棲息地：海洋　　　食物：魚類和魷魚

克柔龍 Kronosaurus
英文讀音：
crow-no-SORE-us

我利用巨大的**鰭肢**在水中暢泳。

這海怪大小相等於**兩條大白鯊**，是自古以來最巨型的海洋生物之一。

強而有力的鰭肢 →

生活時期

三疊紀　　　　侏羅紀　　　　白堊紀

後期

小檔案

捕食的武器

克柔龍最厲害的武器就是那**巨大的吻部**，牠們的頭部長達3米，雙顎能像鱷魚那樣張得闊闊的，嘴裏滿是大小與香蕉相若的鋒利牙齒。

絕不偏食

克柔龍找到什麼食物，便吃什麼。在過往發現的克柔龍化石中，可以看見胃裏有其他蛇頸龍和海龜，而且牠們還會吃魚類和魷魚。

大小：身長約10米　　棲息地：海洋　　食物：魚類和海生爬行動物

過去的痕跡

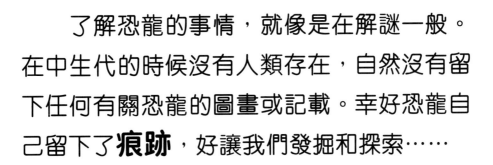

了解恐龍的事情，就像是在解謎一般。在中生代的時候沒有人類存在，自然沒有留下任何有關恐龍的圖畫或記載。幸好恐龍自己留下了**痕跡**，好讓我們發掘和探索……

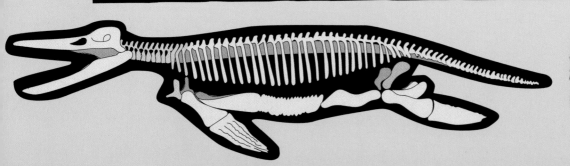

什麼是化石？

恐龍和其他史前生物已經不存在了，我們該如何認識
和了解牠們呢？沒錯，我們可以研究牠們的**化石**。

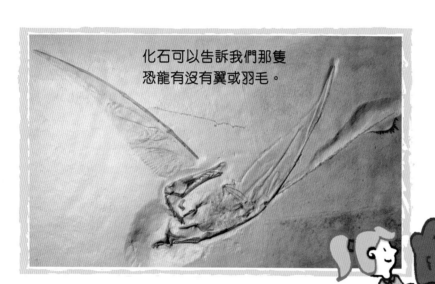

化石可以告訴我們那隻
恐龍有沒有翼或羽毛。

化石是什麼？

生物死亡後，牠們的遺體一直**保存**在
石頭、泥土、沙或碎石裏，經過長時
間便會慢慢形成化石。

如果那隻恐龍擁有鋒利的
牙齒和長長的爪，牠便很
可能是肉食性恐龍，當然
也有例外。

骨頭越大，恐龍自然越巨型。

骨頭

牙齒

暴龍化石

化石收集家

所有化石都埋藏在土地裏數百萬年或以上，非常罕有。**古生物學家**專門發掘這些化石，透過古代生物留下來的痕跡了解過去。

拼湊碎片

很少會發掘到整副恐龍骸骨，因此專家通常會從幾副不同的骸骨中抽取骨頭，拼湊出一副完整的骨骼。這情況有點像在拼一幅高難度的**拼圖**呢！

銀杏化石

動物、植物和其他生物都可以變成化石。

化石的**種類**

　　化石分為好幾類，大部分化石都是**轉變成石頭**而成的，但還有其他方式可以形成化石。

一件物件轉變成石頭的
過程稱為石化
(petrification)。

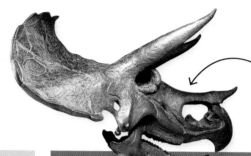

頭骨的
鑄型化石

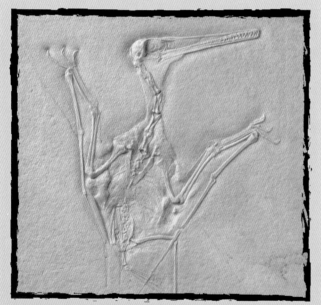

1 有時動物的遺體或植物殘骸會消失，但仍在石上或泥中留下痕跡，那就是**印痕化石**(mould fossil)。

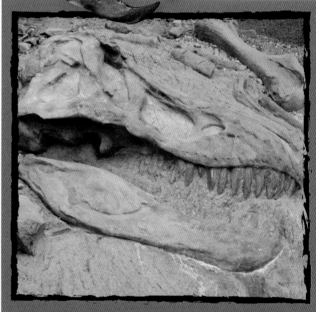

2 **鑄型化石** (cast fossil) 起初也像印痕化石一樣，但水中的礦物填滿了留空的地方，慢慢變成跟原本形狀相同的複製品。

所有化石都需要數百萬年才能成形，因此數量極少，非常罕有。

在砂岩中發現的畸齒龍鑄型化石

3 昆蟲或其他小動物被困在黏乎乎的樹汁中，最終形成**琥珀** (amber)，即石化了的樹脂。

4 有時生物存在的痕跡會遺留下來，包括牠們的腳印、牙齒或糞便，這稱為**痕跡化石** (trace fossil)。

發現第一塊化石

人類有一段很長時間都**不知道**恐龍曾經存在，直至有人開始研究化石，一切都改變了！

神秘的巨型骨頭

在1677年，羅伯特·波爾蒂 (Robert Plot) 在英國牛津的博物館工作時，偶然發現一塊巨大的**骨頭化石**。他嘗試把這塊骨頭跟其他不同的動物骨頭比較，但形狀和大小全都不符合。

這塊骨頭很大，究竟是屬於哪種生物的呢？

神秘的骨頭素描

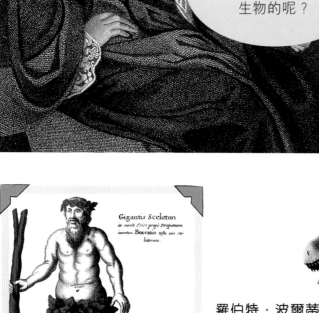

羅伯特·波爾蒂認為這塊化石是古代巨人的骨頭，但現在我們知道那是斑龍的腿骨。

斑龍 (Megalosaurus)

有趣的牙齒

在1820年，基甸·曼托爾和馬莉·安·曼托爾 (Gideon and Mary Ann Mantell) 發現了一副**牙齒化石**，它看來像是美洲鬣蜥的牙齒，但比較大。他們稱這新發現的動物為「禽龍」。

禽龍的牙齒

其他科學家認為那只是犀牛的牙齒，但是基甸和馬莉鍥而不捨地研究，最終發現了禽龍和林龍各一副完整的骸骨。

我會叫這些動物做**恐龍**！

恐龍家族

在1842年，理查·歐文爵士 (Sir Richard Owen) 認為斑龍、禽龍和林龍屬於一種已經**絕種**的動物，並把牠們定名為「恐龍」。

恐龍這名稱是理查·歐文爵士提出的，意思是「恐怖的蜥蝪」。

著名的化石**收集家**

雖然瑪麗·安寧（Mary Anning）出身貧窮，也從來沒有上學，但她卻發現了許多化石，更成為有史以來最著名和備受尊重的**化石收集家**。

第一項發現

在1811年，當時只有12歲的瑪麗和她的哥哥約瑟（Joseph）發現了一塊巨型頭骨化石。後來瑪麗找到其餘部分的骸骨，並花了一年時間把它們挖掘出來，那便是第一件發現的**魚龍**化石。

蛇頸龍化石

菊石化石

魚龍頭骨化石

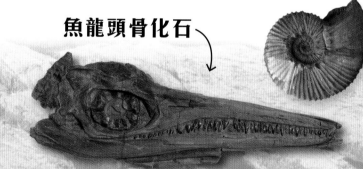

許多的第一次

除了第一件發現的魚龍化石外，瑪麗還找到第一件**蛇頸龍**、**翼龍**、史前大魚、菊石，還有其他以往從未見過的化石。

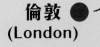

瑪麗小時候會賣貝殼來幫補家計。

倫敦 ●
(London)

萊姆里傑斯
(Lyme Regis)

在英國多實郡的萊姆里傑斯，瑪麗會和她的狗一起到沙灘尋找化石。

艱苦的生活

瑪麗生於一個貧窮家庭，沒有錢上學。長大後，她只能**賣掉**找到的化石來賺錢。她把那些化石的素描和筆記保存下來，但從未因這些化石發現而受到表揚。

亨利・德拉・貝切的畫作

畫家亨利・德拉・貝切 (Henry De la Beche) 把瑪麗發現到的化石想像成動物，並繪畫成圖畫出售，幫助瑪麗籌集資金做研究。

化石地圖

恐龍化石雖然數量不多，
但在世界各地都能找到。

似鴕龍 (Struthiomimus)

加拿大 (Canada)

1914年，在加拿大艾伯塔省 (Alberta)
找到一件似鴕龍化石，那是目前發現
過最完整的化石之一。

梁龍 (Diplodocus)

美國 (USA)

1898年，美國懷俄明州
(Wyoming) 的鐵路工人
發現了一副近乎完整的
梁龍骸骨。

美國 (USA)

在美國猶他州 (Utah) 和科羅拉多州 (Colorado)
之間的「恐龍國家保護區」發現了數以千計的
恐龍骸骨。

阿根廷龍 (Argentinosaurus)

阿根廷 (Argentina)

2014年，在阿根廷拉夫列卡 (La
Flecha) 附近的沙漠中，發現了
一副史上最大的恐龍骸骨，那
是屬於阿根廷龍的化石。

英國 (United Kingdom)

在英格蘭牛津郡(Oxfordshire, England)發現的斑龍化石，啟發威廉·布克蘭(William Buckland) 撰寫第一份有關恐龍的科學研究報告。

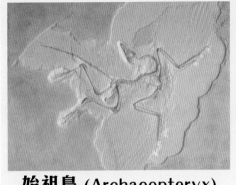

始祖鳥 (Archaeopteryx)

德國 (Germany)

1860年，在德國找到的始祖鳥化石證實恐龍和鳥類之間是有關連的。

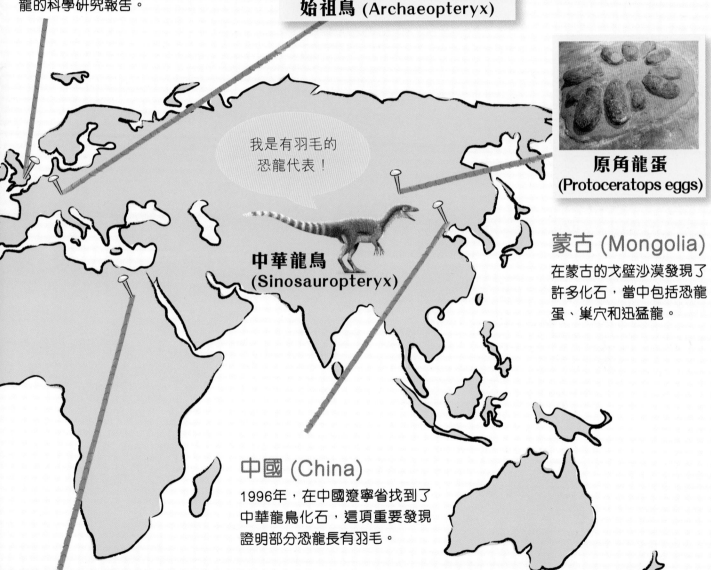

原角龍蛋 (Protoceratops eggs)

我是有羽毛的恐龍代表！

中華龍鳥 (Sinosauropteryx)

蒙古 (Mongolia)

在蒙古的戈壁沙漠發現了許多化石，當中包括恐龍蛋、巢穴和迅猛龍。

中國 (China)

1996年，在中國遼寧省找到了中華龍鳥化石，這項重要發現證明部分恐龍長有羽毛。

埃及 (Egypt)

甚少會在非洲發掘到白堊紀晚期的化石，但2018年在埃及發現了一種新的蜥腳類恐龍化石，牠被命名為曼蘇拉龍 (Mansourasaurus)。

南極洲 (Antarctica)

在南極洲也曾經發現過恐龍化石，例如侏羅紀初期的獸腳類恐龍──冰脊龍 (Cryolophosaurus)。

化石**怎樣來**？

動物或植物轉變成化石需要經歷許多過程，還得花上**數百萬年**時間。我們來看看期間發生了什麼事吧！

有些化石已經有超過**30億年**的歷史！

化石的形成過程

動物死亡或植物枯萎後必須很快就被**掩埋**起來才能形成化石，不然只會腐爛和消失，這就是化石數量稀少的原因。

1 這隻恐龍死了，牠的遺體被厚厚的泥土**掩蓋**。

2 數年後，牠身上的肉已經腐化，只餘下**骨頭**。

3 數百萬年後，地球板塊運動使這隻恐龍埋葬的地方變成海洋。隨着時間過去，牠的骨頭漸漸變成**石頭**。

4 板塊繼續移動，直至海洋慢慢消失，讓那個地方的**土地**重見天日。

風在侵蝕地面。

5 年復一年，化石上層的土地都被侵蝕掉，人們終於發現埋藏在地下的化石。最後，一羣專業的古生物學家開始把化石**挖掘**出來！

小心！看看前面路上的東西。

從泥土搬到博物館

博物館是個奇妙的世界，裏面有各種**化石**和**史前的珍寶**！可是，你知道那些化石是怎樣搬到博物館去嗎？

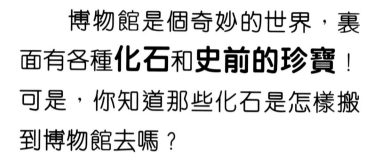

我埋葬在中國的一個沼澤裏。

1 恐龍死後埋在泥土裏，經過數百萬年變成化石，然後有人發現了它。

2 古生物學家展開發掘工作，用工具把化石挖出來，再塗上石膏來保護它。

3 古生物學家會仔細地拍下照片和畫下化石每一個部分，這些紀錄對往後的研究相當有用。

整個發掘過程可能歷時數個月才能完成。

4 包裹好的化石會運到實驗室作研究，或送到博物館公開展覽。

化石數量稀少又易碎，古生物學家處理它們時必須非常小心。

有些骨頭太重或脆弱，不宜展出，所以有時會用玻璃纖維製成的複製品代替。

古生物學家的 工具套裝

　　恐龍骸骨的發掘工作很**緩慢**，而且要非常**小心**。因此古生物學家需要一套特殊工具，幫助他們取出易碎的骨頭。

專業工具

古生物學家會用昂貴的高科技工具，也會使用一些**日常用品**，例如餐具和畫筆。每次挖掘都會按化石掩埋的範圍大小和脆弱程度，來決定使用什麼工具。

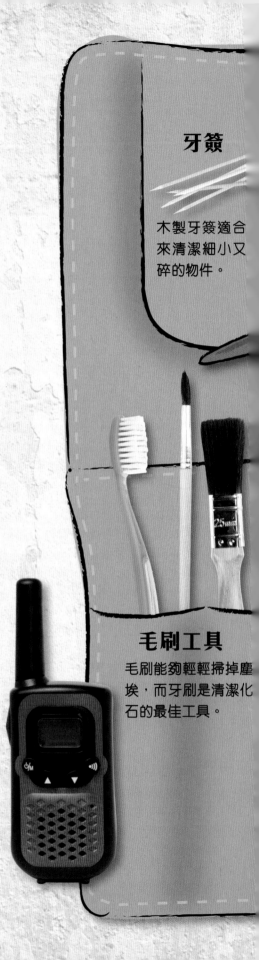

牙籤

木製牙籤適合來清潔細小又碎的物件。

毛刷工具

毛刷能夠輕輕掃掉塵埃，而牙刷是清潔化石的最佳工具。

相機

以大量照片記錄發掘過程對研究很重要。

對講機

這是用來跟其他一同發掘化石的成員保持聯繫。

206

捲尺
化石每個部分都需要
量度清楚。

透明小袋
細小的物件可以放進
袋裏，並用筆寫上名
稱作識別。

這瓶特殊溶液可以
把裂開的化石碎片
黏合起來。

溶液

記事簿

尖頭鋤
尖頭鋤可以移
除化石四周粗
糙的石頭。

鑿和鐵鎚
鑿和鐵鎚能夠弄
碎較硬的泥土。

匙羹
可用匙羹
小心挖開
化石旁邊
的東西。

灰匙
灰匙是快捷又
精確的挖掘工
具。

繩釘
細繩和繩釘用
來標記出發掘
的區域。

尺和鉛筆
發掘期間，古
生物學家需要
做詳細記錄，
還要把現場畫
下來。

細繩

羽毛家族

當我們以為恐龍已經消失的時候，部分長有羽毛的獸腳類恐龍卻一直存活至中生代結束，最後更演變成**鳥類**。

早期的鳥類

小型獸腳類恐龍經歷數百萬年不斷進化，成為今天我們認識的鳥類，那表示鳥類是唯一**仍然存在的恐龍**！

看看我所有長着羽毛的朋友！

1億
6,100萬年前
近鳥龍 (Anchiornis) 長有羽毛，可以在空中滑行。

1億
5,100萬年前
始祖鳥 (Archaeopteryx) 是第一批會飛行的恐龍。

現在有超過10,000種不同種類的雀鳥，

鳥類和恐龍有什麼相同的地方？

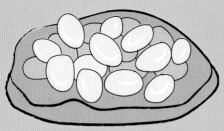

鱗片

如果你靠近鳥類，便會看見牠們雙腿的表面呈鱗片狀，就像爬蟲類動物的身體一樣。

腿的表面呈鱗片狀。

蛋

恐龍和鳥類都是由蛋孵化出來，牠們大多會築巢，有的還會坐在自己的蛋上，讓它保持溫暖和安全。

羽毛

許多恐龍都長有羽毛，但不會飛。早期的羽毛柔軟蓬鬆，可用來保暖或吸引異性。

羽翼

1億 2,500萬年前

6千 800萬年前

5千 600萬年前

伊比利亞鳥 (Iberomesornis) 擅長飛行，牠們的翅膀上有細小的爪。

維加鳥 (Vegavis) 是現今鴨和鵝的近親。

冠恐鳥 (Gastornis) 是一種巨型鳥類，但不會飛。牠們身上有蓬鬆的羽毛，跟奇異鳥 (Kiwi) 的羽毛相近。

牠們都是恐龍**仍然在生**的親屬。

恐龍到了哪裏去？

恐龍統治了地球接近1億7,000萬年，但在約
6,600萬年前，一顆小行星撞向地球，導致恐龍
滅絕，從此消失。

專家認為那顆小行星
大約有10公里闊。

小行星
(Asteroid)

發生什麼事？

那顆巨型小行星撞擊地球的力量造
成地震、海嘯和火山爆發，還在空
中產生了巨大的**塵雲**。

接着發生了什麼事？

塵雲不單使動物難以呼吸，更阻擋了太陽的光和熱力，導致**地球氣候轉變**。最終大部分生物都沒有足夠食物來維持生命，相繼死亡。

有什麼生物生還？

只有細小的陸上動物，還有一些**魚類、蜥蜴和昆蟲**能夠活下來。數千萬年過去，新的動物來了又去，直到最後人類終於在地球上出現。

舊日子的**新發現**

　　恐龍在很久以前已經存活，你或許會以為我們早就知道所有關於牠們的事情。然而，專家一直都有**新發現**。

尾巴的毛

時光定格

在2016年，一個中國古生物學家發現了此生難得一見的化石：一條保存在**琥珀**內的恐龍尾巴。原來這隻恐龍被困在樹脂裏約1億年，牠的尾巴骨、皮膚、血液和羽毛全都完整地保存下來。

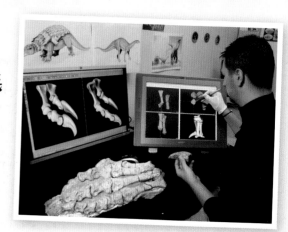

有些新科技設備如掃描器或雷射器，讓我們能看見化石內部，有助了解恐龍的顏色。

哈茲卡盜龍 (Halszkaraptor)

哈茲卡盜龍有可能像鴨一樣，是水陸兩棲的動物。

曼蘇拉龍 (Mansourasaurus)

新發現的古老動物

科學家仍在不斷發現**新恐龍**，例如：2017年發現了跟鴨相似的哈茲卡盜龍，牠們擁有彎曲的爪、天鵝似的頸，四肢則有助游泳；2018年在埃及發現了一種新的蜥腳類恐龍——曼蘇拉龍。

恐龍會做什麼？

化石幫助我們認識恐龍的**外形**，但卻難以從中知道恐龍平日會做什麼。因此科學家把恐龍跟其他現代的動物作比較，例如雀鳥、長頸鹿、蜥蜴或鱷魚，嘗試理解牠們的**生活習性**。

我擁有扁平的牙齒和長頸，所以我應該會像長頸鹿那樣進食。

有些新發現會糾正我們的錯誤，正如我們有好一段時間不知道恐龍長有羽毛，但如今我們已經知錯了。

213

史前生物名字小檔案

恐龍、翼龍和蛇頸龍的中英文名字都很難記，你能夠看看圖，便說出牠們的名字嗎？

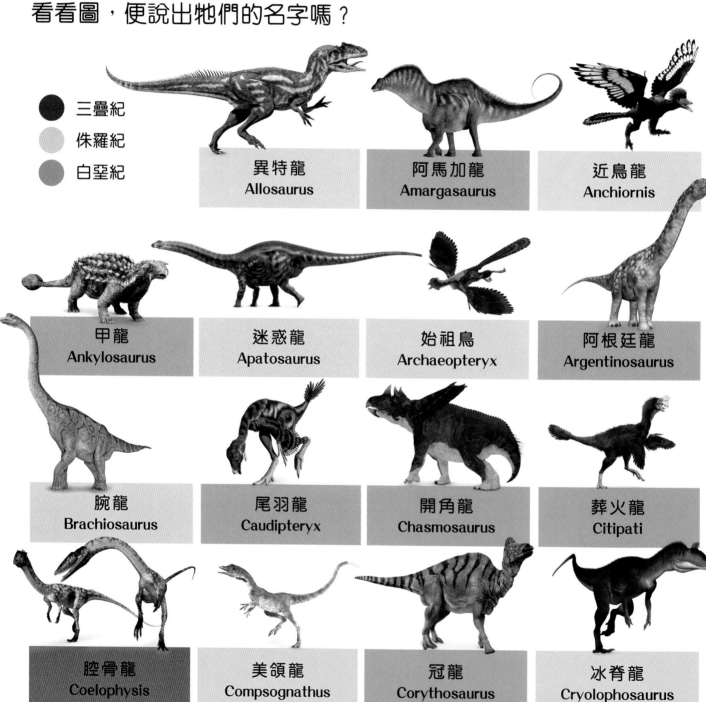

● 三疊紀
○ 侏羅紀
● 白堊紀

異特龍 Allosaurus

阿馬加龍 Amargasaurus

近鳥龍 Anchiornis

甲龍 Ankylosaurus

迷惑龍 Apatosaurus

始祖鳥 Archaeopteryx

阿根廷龍 Argentinosaurus

腕龍 Brachiosaurus

尾羽龍 Caudipteryx

開角龍 Chasmosaurus

葬火龍 Citipati

腔骨龍 Coelophysis

美頜龍 Compsognathus

冠龍 Corythosaurus

冰脊龍 Cryolophosaurus

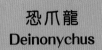

恐爪龍 Deinonychus	雙型齒翼龍 Dimorphodon	梁龍 Diplodocus	埃德蒙頓甲龍 Edmontonia

埃德蒙頓龍 Edmontosaurus	野牛龍 Einiosaurus	薄板龍 Elasmosaurus	始盜龍 Eoraptor

真雙型齒翼龍 Eudimorphodon	包頭龍 Euoplocephalus	似雞龍 Gallimimus	南方巨獸龍 Giganotosaurus

五彩冠龍 Guanlong	哈茲卡盜龍 Halszkaraptor	天山哈密翼龍 Hamipterus	艾雷拉龍 Herrerasaurus

畸齒龍 Heterodontosaurus	華陽龍 Huayangosaurus	稜齒龍 Hypsilophodon	魚龍 Ichthyosaurus

禽龍
Iguanodon

釘狀龍
Kentrosaurus

克柔龍
Kronosaurus

賴氏龍
Lambeosaurus

潛隱女獵龍
Latenivenatrix

滑齒龍
Liopleurodon

慈母龍
Maiasaura

曼蘇拉龍
Mansourasaurus

斑龍
Megalosaurus

小盜龍
Microraptor

滄龍
Mosasaurus

鳥掌翼龍
Ornithocheirus

豪勇龍
Ouranosaurus

厚頭龍
Pachycephalosaurus

副櫛龍
Parasaurolophus

五角龍
Pentaceratops

板龍
Plateosaurus

原角龍
Protoceratops

鸚鵡嘴龍
Psittacosaurus

無齒翼龍
Pteranodon

風神翼龍	喙嘴翼龍	菱龍	蜥結龍
Quetzalcoatlus	Rhamphorhynchus	Rhomaleosaurus	Sauropelta

蜀龍	中華龍鳥	棘龍	劍龍
Shunosaurus	Sinosauropteryx	Spinosaurus	Stegosaurus

似鴕龍	戟龍	似鱷龍	槽齒龍
Struthiomimus	Styracosaurus	Suchomimus	Thecodontosaurus

鐮刀龍	牛角龍	三角龍	青島龍
Therizinosaurus	Torosaurus	Triceratops	Tsintaosaurus

雷神翼龍	暴龍	猶他盜龍	迅猛龍
Tupandactylus	Tyrannosaurus Rex	Utahraptor	Velociraptor

中英對照恐龍詞彙

這本書中出現了許多與恐龍相關的重要詞彙，其中有些詞彙真令人摸不着頭腦。如果你被這些詞彙難倒，便可在這裏找到它們的意思。

Amphibians
兩棲類動物：能夠在陸上和水中生活的動物。

Armour
鎧甲：能夠保護動物免受傷害的身體特徵，例如尖刺和骨板。

Carnivore
肉食性動物：會吃其他動物的動物。

Ceratopsians
角龍類：屬於裝甲類恐龍的分支。

Climate
氣候：在某個地方或某段時間的天氣。

Cretaceous
白堊紀：中生代的第三個時期。

Dromaeosaurs
馳龍類：屬於獸腳類恐龍的分支。

Environment
環境：在生物周遭地方的情況。

Evolve
進化：生物為了生存而漸漸改變的方式。

Extinct
絕種：當一種動物或植物滅亡，從此消失。

Fossil
化石：動物或植物的殘骸保存在泥土內一段很長的時間而成。

Habitat
棲息地：動物的天然居所。

Hadrosaurs
鴨嘴類：屬於鳥腳類恐龍的分支。

Herbivore
草食性動物：只吃植物的動物。

Herds
獸羣：一羣聚居在一起或集體行動的動物。

Jurassic
侏羅紀：中生代的第二個時期。

Mammals
哺乳類動物：在嬰兒時期會喝母乳的溫血動物。

Marginocephalians
頭飾龍類：擁有頭盾的
恐龍。

Mesozoic Era
中生代：恐龍生存的時代，
由三疊紀、侏羅紀和白堊紀三
個時期組成。

Museum
博物館：展示歷史文物的地
方。

Omnivore
雜食性動物：植物和肉類也
會吃的動物。

Ornithopods
鳥腳類：會吃植物和偶爾會
集體行動的恐龍。

Palaeontologist
古生物學家：研究化石和史
前生物的科學家。

Pangaea
泛古陸：在中生代初期，構
成地球上所有陸地的C形超大
陸。

Plesiosaurs
蛇頸龍：史前的海生爬行動
物。

Predator
捕食者：會捕獵和殺死其他
動物來吃的動物。

Prey
獵物：被捕食者吃掉的動
物。

Pterosaurs
翼龍：史前的飛行爬蟲類動
物。

Reptiles
爬蟲類：有鱗片的冷血動
物。

Sauropods
蜥腳類：擁有長頸和尾巴的
巨大草食性恐龍。

Skeleton
骨骼：支撐身體的骨架。

Species
物種：一組擁有相同
特徵，可以一起繁殖後
代的動物。

Spine
脊椎：動物的脊骨。

Tectonic plates
板塊：地底的巨型石塊，會
慢慢地移動。

Theropods
獸腳類：用兩條後肢行走的
肉食性恐龍。

Thyreophorans
裝甲類：擁有全副鎧甲保護
自己的草食性恐龍。

Triassic
三疊紀：中生代的第一個
時期。

索引

鳴謝

The publisher would like to thank the following for their kind permission to reproduce their photographs:

Key: a= above; b=below/bottom; c=centre; f=far; l=left; r=right; t=top.

1 123RF.com: Linda Bucklin (bl, br); Corey A Ford (tr, tc); Elena Duvernay (crb). **2 123RF.com:** Linda Bucklin (cra); Corey A Ford (tr). **Dorling Kindersley:** Tim Ridley / Robert L. Braun (bc). **Getty Images:** Nobumichi Tamura / Stocktrek Images (bl). **3 123RF.com:** chastity (bl). **4 123RF.com:** Corey A Ford (bc, tc, tr). **5 123RF.com:** Linda Bucklin (br); Michael Rosskothen (bc). **iStockphoto.com:** Corey Ford (cr). **6 123RF. com:** Corey A Ford (bl). **Dorling Kindersley:** Peter Minister (cr). **7 123RF.com:** Corey A Ford (br). **8 123RF.com:** Linda Bucklin (tl, br); Valentyna Chukhlyebova (tr). **Dorling Kindersley:** Tim Ridley / Robert L. Braun (bl). **9 123RF.com:** Corey A Ford (br). **Alamy Stock Photo:** Science Photo Library (t). **10-11 123RF.com:** Corey A Ford (t). **11 123RF.com:** Simone Gatterwe (bc); Michael Rosskothen (br). **12 123RF.com:** Michael Rosskothen (bl). **James Kuether:** (c, cr). **13 123RF.com:** leonello calvetti (tl); Michael Rosskothen (cb). **Dorling Kindersley:** Andy Crawford / Royal Tyrrell Museum of Palaeontology, Alberta, Canada (bl). **14-15 123RF.com:** Nataliya Hora (background); pakhnyushchyy (t/background). **14 123RF.com:** Michael Rosskothen (br). **Dorling Kindersley:** Jon Hughes (cr). **15 123RF.com:** Michael Rosskothen (c). **Dorling Kindersley:** Colin Keates / Natural History Museum, London (br). **16 123RF.com:** Linda Bucklin (bl). **Alamy Stock Photo:** leonello calvetti (c); Science Photo Library (cr). **16-17 123RF.com:** Ievgenii Biletskyi (c/background); pakhnyushchyy (t/background); daveallenphoto (cb/background). **17 123RF.com:** Corey A Ford (tc); Michael Rosskothen (tl). **Dreamstime.com:** Vaeenma (br). **James Kuether:** (c). **18 123RF.com:** leonello calvetti (cb); Corey A Ford (cr, ca). **18-19 123RF.com:** Alberto Loyo (c/background). **19 123RF.com:** leonello calvetti (bl, t). **123RF.com:** Tim Hester / timhester (br). **20-21 123RF.com:** marina gallud (b/background). **21 Dorling Kindersley:** Frank Greenaway / Natural History Museum (c). **22 123RF.com:** Mariusz Jurgielewicz (bl); yobro10 (cr) **Dreamstime.com:** Pablo Hidalgo / Pxhidalgo (cl). **22-23 Dreamstime.com:** Yellowdesignstudio (masking tape). **23 123RF.com:** leonello calvetti (b); sborisov (t). **24 123RF.com:** leonello calvetti (cr); Mark Turner (cra); Valentyna Chukhlyebova (cl). **25 123RF.com:** leonello calvetti (cb); Mark Turner (cla); Corey A Ford (bc, c, clb). **26 123RF.com:** Linda Bucklin (tr). **James Kuether:** (tc). **27 James Kuether:** (bl, br). **28 Alamy Stock Photo:** Stocktrek Images, Inc. (cr). **123RF.com:** Teresa Gueck / teekaygee (cl). **29 123RF.com:** Suman Bhaumik (tr). **30 123RF.com:** leonello calvetti (r). **31 123RF.com:** Elena Duvernay (l); Mark Turner (c). **32 123RF.com:** Aliaksei Hintau / viselchak (cra); Dreamstime.com: Vladimirdavydov (br); Dreamstime.com: Vivid Pixels / Vividpixels (tr); Dreamstime.com: Alle (cb, crb). **33 123RF.com:** rodho (t). **123RF.com:** Alexandr Pakhnyushchyy / alekss (clb); Dreamstime.com: Sutisa Kangvansap / Mathisa (br); 123RF.com: Brandon Alms / macropixel (bl); Frank Greenaway / Natural History Museum, London (cra); Forrest L. Mitchell / James Laswel (cl). **34 123RF.com:** Corey A Ford (cr). **Alamy Stock Photo:** Science Photo Library (ca). **35 123RF.com:** Corey A Ford (cl). **Dreamstime.com:** Mary (cr); Gary Ombler / Senckenberg Gesellshaft Fuer Naturforschugn Museum (b). **36 123RF.com:** Mark Turner (cl). **37 Dorling Kindersley:** Jon Hughes (cr). **38 123RF.com:** citadelle (c). **Dorling Kindersley:** Peter Minister and Andrew Kerr / Dreamstime.com: (cb); Harry Taylor / Natural History Museum, London (b). **38-39 Dreamstime.com:** Kelvintt (t/background). **39 123RF.com:** citadelle (cb). **Alamy Stock Photo:** Stocktrek Images, Inc. (br). **40 123RF.com:** Michael Rosskothen (br). **41 123RF.com:** Corey A Ford (tr); Michael Rosskothen (cl). **42 123RF.com:** dirkr (cl); Dreamstime.com: Nataliya Hora / Zhu_zhu (b/background); 123RF.com: Vitalii Gulay / vitalisg (br). **43 123RF.com:** Corey A Ford (bl); Tamara Kulikova (bc). **James Kuether** (br). **44 123RF.com:** Vasyl Hedzun (cr); suwat wongkham (tr). **Dreamstime.com:** Glenda Powers / Mcininch (bl). **James Kuether** (cl, br). **45 123RF.com:** Elena Duvernay (t). **James Kuether** (c, b). **46 Dreamstime.com:** Aleksandr Frolov / Afhunta (clb);

Colin Keates / Natural History Museum (tl, bl, br, cr). **47 James Kuether** (b). **48 123RF.com:** Mariusz Blach (cr); gkuna (br); Corey A Ford (c). **49 123RF.com:** leonello calvetti (c); Nico Smit (tr). **Alamy Stock Photo:** Science Photo Library (tl). **50 123RF.com:** Camilo Maranchón garcía (br). **50-51 123RF.com:** Corey A Ford (t). **51 123RF.com:** Michael Rosskothen (bl). **52 123RF.com:** Valentyna Chukhlyebova (br). **Dreamstime.com:** Corey A. Ford / Coreyford (bl). **53 123RF.com:** Linda Bucklin (br). **Nobumichi Tamura:** (bl). **54 123RF.com:** Simone Gatterwe (cl); Michael Rosskothen (c). **Dreamstime.com:** Witold Krasowski / Witoldkr1 (br); Dorling Kindersley / Peter Minister (cr). **55 123RF.com:** Corey A Ford (c). **Dreamstime:** Boborsillo (tr). **56 123RF. com:** Michael Rosskothen (bc). **56-57 123RF.com:** James Kuether (c). **58 Alamy Stock Photo:** Xinhua (c). **Dorling Kindersley:** John Downes / Natural History Museum, London (crb). **59 123RF.com:** Corey A Ford (br). **60 123RF.com:** leonello calvetti (bl); Corey A Ford (t). **61 123RF.com:** Mark Turner (t). **Alamy Stock Photo:** leonello calvetti (bl); MasPix (br). **62-63 123RF.com:** Lorelyn Medina (b). **64-65 123RF.com:** Tommaso Lizzul (background). **65 Dorling Kindersley:** Andy Crawford / Royal Tyrrell Museum of Palaeontology, Alberta, Canada (b). **66 Depositphotos Inc:** Aliencat (bl). **Dreamstime.com:** Prapass Wannapinij / Prapass (cr). **66-67 123RF.com:** Elena Duvernay (background). **67 123RF.com:** softlight69 (t/background). **Depositphotos Inc:** Aliencat (c). **Dorling Kindersley:** Gary Ombler / Senckenberg Gesellshaft Fuer Naturforschugn Museum (b). **68-69 Dreamstime.com:** Inga Nielsen / Ingan (background). **iStockphoto.com:** Elenarts (c). **68 Dorling Kindersley:** Colin Keates / Natural History Museum, London (bl). **69 123RF.com:** Corey A Ford (r). **70-71 123RF.com:** bazru (background). **Dreamstime.com:** Valentin Armianu / Asterixvs (t/background). **72 123RF.com:** Corey A Ford. **72-73 123RF.com:** daveallenphoto (background). **73 123RF.com:** Corey A Ford (b). **Science Photo Library:** Natural History Museum (tr). **74 Alamy Stock Photo:** Corey Ford (cb). **75 James Kuether. 76 Dorling Kindersley:** Andy Crawford / Royal Tyrrell Museum of Palaeontology, Alberta, Canada (br). **77 123RF.com:** Corey A Ford (c). **78-79 123RF.com:** Lorelyn Medina (b). **80-81 Alamy Stock Photo:** leonello calvetti (c). **Dreamstime.com:** Inga Nielsen / Ingan (t/background). **82-83 Getty Images:** Yuriy Priymak / Stocktrek Images. **83 123RF.com:** W.Scott McGill (tr). **Wikimedia:** Yuya Tamai / CC BY 2.0 (br). **84-85 123RF.com:** Michael Rosskothen. **84 Dorling Kindersley:** Andy Crawford / State Museum of Nature, Stuttgart (tr). **86 123RF.com:** Corey A Ford (c); Michael Rosskothen. **Wikimedia:** Nkansahrexford / CC BY 3.0 (b). **87 123RF.com:** softlight69 (background). **88-89 123RF.com:** Mr.Smith Chetanachan (b/background); Nataliia Kravchuk (t). **88 123RF.com:** chastity (c). **89 123RF.com:** Mark Turner. **90 123RF.com:** Simone Gatterwe (cl); Michael Rosskothen (cr). **91 123RF.com:** Michael Rosskothen; pongbun sangkaew (t/background). **92 123RF.com:** softlight69 (t/background). **93 123RF.com:** Shlomo Polonsky (br). **94-95 123RF.com:** Keith Halterman (b/background). **94 James Kuether. 95 Dorling Kindersley:** Miguel Periera / Museo Arentino De Cirendas (br). **James Kuether** (tl). **96-97 123RF.com:** sebastien decoret (background); sborisov (b/background). **96 123RF.com:** leonello calvetti; netsuthep summat (bl). **97 123RF.com:** leonello calvetti (c). **98-99 123RF.com:** Lorelyn Medina (b). **100-101 123RF.com:** Michael Rosskothen. **123RF.com:** szefei (background). **100 123RF.com:** Lefteris Papaulakis (l). **102 Dorling Kindersley:** Colin Keates / Natural History Museum, London (bl). **103 Dreamstime.com:** Leonello Calvetti / Leocalvett (br). **104-105 123RF.com:** Nataliia Kravchuk (t); Shlomo Polonsky (b/background). **James Kuether** (cl). **105 James Kuether** (tr, cr). **108-109 123RF.com:** Shlomo Polonsky (b/background); Nico Smit (background). **109 123RF.com:** memoangeles (br). **Alamy Stock Photo:** MasPix (cb). **110 Dorling Kindersley:** Peter Minister (bl). **112-113 123RF.com:** Michael Rosskothen. **112 123RF.com:** Michael Rosskothen (br). **114 123RF.com:** Andreas Meyer (cl). **114-115 123RF.com:** Olga Khoroshunova (b/background); Andreas Meyer (c); Laurin Rinder (t/background). **115 123RF.com:** Corey A Ford (b); Michael Rosskothen (tr). **116-117 123RF.com:** Lorelyn Medina (b). **118-119 123RF.com:** Elena Duvernay. **120 James Kuether** (l). **121 123RF.com:** Linda Bucklin (cra); Elena Duvernay (cla). **James Kuether** (cl). **122-123 123RF.com:** Frederik

Johannes Thirion (background). **124-125 123RF.com:** Tim Hester / timhester (t/ background). **125 Getty Images:** Bernard Weil / Toronto Star (r, cra). **126 Science Photo Library:** Martin Shields (l). **127 Science Photo Library:** Julius T Csotonyi. **128 123RF.com:** Michael Rosskothen (cr). **Dreamstime.com:** Jinfeng Zhang (bl). **128-129 123RF.com:** szefei (background). **129 123RF.com:** Corey A Ford (c). **130-131 123RF.com:** Lorelyn Medina (b). **132 123RF.com:** iimages (bl). **Dorling Kindersley:** Gary Ombler / Senckenberg Gesellschaft Fuer Naturforschugn Museum (br). **132-133 Alamy Stock Photo:** Mohamad Haghani. **134 123RF.com:** leonello calvetti (bl, b). **Dorling Kindersley:** Colin Keates / Natural History Museum, London (cr). **134-135 123RF.com:** Mariusz Blach (background). **136 123RF.com:** leonello calvetti (cl). **136-137 123RF.com:** Corey A Ford; Nataliya Hora (background). **139 123RF.com:** Elena Duvernay (cb). **140-141 123RF.com:** Michael Rosskothen. **140 Dorling Kindersley:** Lynton Gardiner / American Museum of Natural History (cl). **142 Courtesy Vladislav Konstantinov. 143 123RF.com:** Elena Duvernay (br). **144-145 123RF.com:** Ajay Bhaskar (b/background). **146 123RF.com:** Michael Rosskothen. **147 123RF.com:** Michael Rosskothen (t, bl). **148-149 123RF.com:** Lorelyn Medina (b). **150 Dorling Kindersley:** Andy Crawford / Royal Tyrrell Museum of Palaeontology, Alberta, Canada (cl). **150-151 123RF.com:** Linda Bucklin (c); Vassiliy Prikhodko (t). **151 123RF.com:** Linda Bucklin (br). **152-153 Alamy Stock Photo:** Stocktrek Images, Inc. **153 Alamy Stock Photo:** Riccardo Bianchini (tr). **154-155 123RF.com:** softlight69 (background). **Getty Images:** Nobumichi Tamura / Stocktrek Images. **156-157 123RF.com:** softlight69 (background). **158 123RF.com:** Elena Duvernay (cl). **Dorling Kindersley:** Lynton Gardiner / American Museum of Natural History (b). **161 123RF.com:** Shlomo Polonsky (r). **162-163 123RF.com:** Nico Smit (background). **James Kuether** (c). **163 123RF.com:** Alexey Sholom (br). **164 Getty Images:** Sergey Krasovskiy (cr). **164-165 Dreamstime.com:** Imagin.gr Photography (b/background). **165 Getty Images:** Sergey Krasovskiy (cra, b). **166-167 123RF.com:** Lorelyn Medina (b). **168 123RF.com:** Mark Turner (c). **169 123RF.com:** Corey A Ford (t). **170 123RF.com:** Corey A Ford (t). **170-171 123RF.com:** Eero Oskari Porkka (background); Mark Turner (c). **171 123RF.com:** Linda Bucklin (tr, cl); Andreas Meyer (tl). **172 Alamy Stock Photo:** Xinhua (r, l). **173 Alamy Stock Photo:** Xinhua. **174 123RF.com:** Corey A Ford. **175 Dorling Kindersley:** Andy Crawford / Senckenberg Gesellschaft Fuer Naturforschugn Museum, (r); Jon Hughes (c). **176-177 123RF.com:** Michael Rosskothen (c). **Dreamstime.com:** Ulkass (t/background). **176 123RF.com:** Michael Rosskothen (tr, cra, cr). **177 123RF.com:** Corey A Ford (bl); Michael Rosskothen (tl). **Wikimedia:** Frank Kovalchek / CC BY 2.0 (r). **180-181 123RF.com:** Olga Khoroshunova (background); Shlomo Polonsky (b). **Alamy Stock Photo:** Science Photo Library (cl). **181 123RF.com:** Michael Rosskothen (tr). **182-183 123RF.com:** Michael Rosskothen (c). **182 Dorling Kindersley:** Jon Hughes (cr). **183 Dreamstime.com:** Jaroslav Moravcik (b). **184-185 123RF.com:** Corey A Ford. **184 Dorling Kindersley:** Colin Keates / Natural History Museum, London (bl). **186-187 James Kuether. 187 James Kuether. 188-189 123RF.com:** Corey A Ford (c); Vassiliy Prikhodko (t/background). **189 123RF.com:** Corey A Ford (cr). **190 123RF.com:** Ian Dikhtiar (bl). **Dr Lida XING:** (tl). **191 Alamy Stock Photo:** Natural History Museum, London (cr). **Dorling Kindersley:** Colin Keates / Natural History Museum, London (tr). **Getty Images:** benedek (cl). **192 123RF.com:** Jose Angel Astor (bc). **Dorling Kindersley:** Andy Crawford / State Museum of Nature, Stuttgart (clb); Lynton Gardiner / American Museum of Natural History (br); Colin Keates / Natural History Museum, London (bl). **Science Photo Library:** Millard H. Sharp (cl). **192-193 123RF.com:** Ian Dikhtiar (c). **193 Dorling Kindersley:** Gary Ombler / Swedish Museum of Natural History (br). **Getty Images:** benedek (cr). **194 123RF.com:** albertus engbers (cr). **Dorling Kindersley:** Colin Keates / Natural History Museum, London (cl, t). **195 123RF.com:** Sayompu Chamnankit (cr). **Dorling Kindersley:** Andy Crawford / Royal Tyrrell Museum of Palaeontology, Alberta, Canada (t); Tim Parmenter / Natural History Museum (cl). **196 Alamy Stock Photo:** Science History Images (bl); Science Photo Library (br). **Science Photo Library:** Paul D Stewart (tr). **Wellcome Images http://creativecommons.org/licenses/by/4.0/:** (tl). **197**

Alamy Stock Photo: Science History Images (tl, tr). **Dorling Kindersley:** Colin Keates / Natural History Museum, London (ca). **Science Photo Library:** Royal Institution of Great Britain (br). **Wikimedia:** (l). **198 Alamy Stock Photo:** Natural History Museum, London (tl); Natural History Museum, London (bl). **199 Alamy Stock Photo:** Natural History Museum, London (bl). **Dorling Kindersley:** Colin Keates / Natural (br). **200 123RF.com:** nattawat khodkaeo (tl); victor10947 (cl). **Dorling Kindersley:** Andy Crawford / Royal Tyrrell Museum of Palaeontology, Alberta, Canada (t). **201 123RF.com:** Narongrit Dantragoon (cr). **204 Getty Images:** Marius Hepp / EyeEm (l). **Science Photo Library:** Marco Ansaloni (c); Philippe Psaila (cr). **205 Dorling Kindersley:** Lynton Gardiner / American Museum of Natural History. **206 123RF.com:** grafner (bl); Vladimir Jotov (br); Anton Samsonov (tr). **206-207 123RF.com:** marina gallud (background). **207 123RF.com:** koosen (tl). **Dreamstime.com:** Ilya Genkin / Igenkin (ca). **208 123RF.com:** Corey A Ford (r). **209 123RF.com:** anat chantrakool (cr); Arunsri Futemwong (tc). **210 Science Photo Library:** David A Hardy (bl). **210-211 123RF.com:** Aleksandr Frolov (b/background). **Alamy Stock Photo:** Science Photo Library (t). **211 123RF.com:** Corey A Ford (clb, bl). **212 Science Photo Library:** Pascal Goetgheluck (br). **Dr Lida XING:** (bl). **213 123RF.com:** Corey A Ford (br); Subin pumsom (bc). **Carnegie Museum of Natural History:** Andrew McAfee (ca). **Malvit:** (tl). **214 123RF.com:** Elena Duvernay (cb/Caudipteryx); Corey A Ford (c/ Archaeopteryx, tc, cr/Chasmosaurus); Michael Rosskothen (bl, cr/Argentinosaurus). **Alamy Stock Photo:** leonello calvetti (cl); Science Photo Library (cl/Apatosaurus). **James Kuether** (br/Cryolophosaurus, bc/Compsognathus). **215 123RF.com:** Corey A Ford (bc/Hypsilophodon); Michael Rosskothen (tc/Dimorphodon, tl, bc/Huayangosaurus, cr/Giganotosaurus); Andreas Meyer (cr/Elasmosaurus). **Alamy Stock Photo:** Mohamad Haghani (cl/Euoplocephalus); Xinhua (cr/Hamipterus); MasPix (br). **James Kuether** (cla/ Edmontosaurus, cr/Gallimimus). **Malvit:** (cl/Halszkaraptor). **216 123RF.com:** Linda Bucklin (tr); Corey A Ford (cl/Ouranosaurus, bl, tl, cr/Maiasaura , tc/Kronosaurus, cb/ Microraptor); Mark Turner (cb/Parasaurolophus, br); Valentyna Chukhlyebova (tc/ Kentrosaurus); Michael Rosskothen (crb/Pentaceratops, cl/Liopleurodon). **Alamy Stock Photo:** Science Photo Library (cr/Mosasaurus). **Carnegie Museum of Natural History:** Andrew McAfee (cr/Mansourasaurus). **Depositphotos Inc:** Aliencat (bc/Psittacosaurus). **Dorling Kindersley. 217 123RF.com:** Linda Bucklin (br); leonello calvetti (bc/Tyrannosaurus, cb/Triceratops); Mark Turner (bc/Utahraptor); Michael Rosskothen (cr/ Suchomimus, cl/Styracosaurus). **Dorling Kindersley:** Jon Hughes (cr/Thecodontosaurus). **Getty Images:** Sergey Krasovskiy (bl); Nobumichi Tamura / Stocktrek Images (crb). **James Kuether** (tc/Rhomaleosaurus, Shunosaurus). **218 123RF.com:** Mark Turner (bl). **Dorling Kindersley:** Colin Keates / Natural History Museum (t). **219 123RF.com:** Linda Bucklin (crb); Elena Duvernay (bl); Mark Turner (t); Corey A Ford (bc); Michael Rosskothen (br). **220 123RF.com:** Michael Rosskothen (crb). **221 123RF.com:** leonello calvetti (bl). **222 Getty Images:** Sergey Krasovskiy (cr). **224 123RF.com:** Michael Rosskothen (bc).

Cover images: Front: 123RF.com: Linda Bucklin tr; *Back:* **123RF.com:** Corey A Ford cla; **Dorling Kindersley:** Tim Ridley / Robert L. Braun tc; **Getty Images:** Sergey Krasovskiy (cr).

All other images © Dorling Kindersley
For further information see: www.dkimages.com

DK would like to thank:

Satu Fox for proofreading and editorial assistance, Eleanor Bates and Kitty Glavin for design assistance, Marie Lorimer for indexing, Claire Cordier and Romaine Werblow for picture library assistance, Jo Walton for picture research, James Kuether for use of his artworks, and Vijay Kandwal, Pankaj Sharma, Sachin Singh, and Rajesh Singh Adhikari for digital editing.